12/9

MEURTRE
À CAMBRIDGE

J.B. LIVINGSTONE

MEURTRE
À CAMBRIDGE

EDITIONS GERARD DE VILLIERS

© Éditions Alphée, 1987.
© Éditions Gérard de Villiers, 1990,
pour la présente édition.

ISBN : 2 - 7386 - 0121 - 9

CHAPITRE PREMIER

A vingt-trois ans, John Garret était un étudiant heureux. Ou, du moins, presque heureux. Certes, il lui restait un long chemin à parcourir avant de devenir un grand biologiste et de prendre une éclatante revanche sur la vie. Il n'aurait pas à regretter son enfance misérable dans un faubourg de Londres, sa famille inculte. Il lui avait fallu une énergie indomptable et un travail titanesque pour sortir de l'ornière où le destin l'avait placé.

Aujourd'hui, il pouvait commencer à être fier de lui et à espérer en un avenir meilleur.

Aujourd'hui, il était étudiant à Cambridge.

Cambridge... un rêve inaccessible, la prestigieuse université née au XIIIᵉ siècle, près de la rivière Cam, là où Saxons et Romains s'étaient établis pour fonder Camboritum et Grantebrigge, perdues dans les brumes du passé. Cambridge, la beauté moelleuse des édifices anciens, les illustres collèges de pierre et de brique qui avaient rendu la petite cité célèbre dans le monde entier.

A 3 heures du matin, John Garret sortait d'une mémorable *party* marquant la fin de l'année universitaire. En ce mois de juin où le soleil jouait à cache-cache avec les nuages, le jeune homme achevait son premier cycle d'études scientifiques avec un succès relatif, mais un succès quand même. Il ne faisait pas partie de la caste des étudiants fortunés dont la carrière était toute préparée par leurs parents et leurs relations. Mais il avait une capacité de travail importante et une intelligence aiguisée qui lui permettraient de franchir les obstacles.

Certes, il avait été obligé d'accepter une position de *scout*, c'est-à-dire de domestique – d'aucuns disaient d'esclave – d'un étudiant riche. En l'occurrence, il s'agissait d'une étudiante milliardaire, Cecilia Ambroswell, fille de ministre d'Etat, héritière d'une brillante dynastie brassant d'innombrables affaires. Elle l'avait choisi parmi de nombreux candidats, lui permettant d'obtenir une chambrette à St. John's College. Entre Cecilia Ambroswell et son *scout* régnait le beau fixe. Grand, maigre, les cheveux châtains déjà clairsemés, le nez trop pointu, le visage parsemé de taches de rousseur, John Garret ne plaisait pas aux filles. Il ne cherchait d'ailleurs pas à les séduire, leur préférant les études et les livres. C'était sans doute pourquoi la très jolie Cecilia, que poursuivaient plusieurs prétendants, avait jeté son dévolu sur lui.

Il lui faisait ses courses, son ménage, l'aidait à préparer ses cours et ses examens. C'était la règle du jeu. Inutile de gémir ou de se révolter. L'important était de pouvoir rester à Cambridge, de goûter chaque jour ce paysage enchanteur, les pelouses grasses, les bras de rivière aux rives plantées de saules pleureurs, les jardins, les architectures raffinées des collèges. Comment ne pas être envoûté par cet univers d'édifices en pierre ocre, que tant d'hommes illustres avaient marqué de leur sceau?

John Garret était amoureux fou de Cambridge. Un jour, il y serait professeur, admiré et respecté de tous. Il y passerait son existence entière et y erait enterré. Il haïssait les voyages et ne se rendait même plus à Londres pour y voir sa mère, sombrant dans l'alcoolisme après le décès de son père. Il était étudiant à Cambridge et ne voulait plus entendre parler de son passé.

En cette nuit si douce, il humait l'air empli d'une odeur de gazon fraîchement tondu. Voilà bien un quart d'heure qu'il se promenait au hasard, l'esprit un peu embrumé par l'alcool absorbé au cours de la *party* offerte par Cecilia Ambroswell.

Un vrai triomphe pour John Garret, cette *party*.

Triomphe, parce qu'il avait été invité, lui, le gueux, le sans-le-sou, partageant la compagnie de Herbert von Wigelstein, comte, poète et étudiant en littérature comparée, d'Olivia Parker, bibliothécaire de Trinity College, de Jennifer Storey, brillante mathématicienne et d'Henrietta Siwell, choriste au King's College, ces hautes personnalités formant le cercle très étroit des relations privilégiées de la belle et riche Cecilia.

Pour la première fois, John Garret avait été invité à partager leurs plaisirs.

Un triomphe, parce qu'il les avait étonnés. Ils croyaient le méduser avec leurs alcools de luxe, leurs attitudes équivoques, leurs jeux et leurs paris stupides. C'est lui qui les avait stupéfaits en leur prouvant que, dans le domaine des idées, il les surpassait sans peine. Le héros de la soirée, le penseur qu'on avait écouté, c'était lui, John Garret, fils d'ouvrier.

Il avait quand même trop bu. L'air de la nuit le dégrisait. Il aurait bien plongé une tête dans la Cam... mais sa conscience et son honneur d'étudiant lui interdisaient de se déshabiller et plus encore de souiller sa veste bleue, portant l'écusson de St. John's College. Il n'en possédait qu'une seule et l'entretenait avec le plus grand soin.

C'est en longeant un parterre de fleurs qu'il s'aperçut de son oubli.

Il avait laissé son carnet de notes dans la chambre de Cecilia.

Nerveusement, il inspecta ses poches. Sans succès. Ce carnet était son bien le plus précieux. Il y avait noté les formules mnémotechniques résumant une année de travail. Attendre pour le récupérer était insupportable. Il était parti en tête... et chacun savait que le comte von Wigelstein s'attardait volontiers dans la chambre de Cecilia qu'il comptait épouser au plus vite.

Après une brève hésitation, John Garret se dirigea à grands pas vers St. John's College.

Son cœur battait la chamade. Et si, par mégarde, on jetait son carnet? Si on le lui volait, si on en déchirait des pages pour lui nuire? Il accéléra l'allure, se mit à courir. Pour la première fois depuis qu'il était entré à Cambridge, il ne jeta pas le moindre regard au majestueux collège, fondé en 1511 par Lady Margaret Beaufort, mère de Henri VII.

Il grimpa directement à l'étage des chambres luxueuses. Celle de Cecilia Ambroswell, située à l'extrémité du couloir, était la plus vaste.

Le parquet ancien grinçait sous les pas de l'étudiant.

La porte de Cecilia était fermée, mais un rai de lumière filtrait sur le palier. John Garret frappa. N'obtenant pas de réponse, il entra.

Personne.

La « chambre » de Cecilia se composait d'une entrée, d'un salon et de la chambre proprement dite. Dans le salon, des verres, des bouteilles vides, des cendriers remplis de restes de cigares. Toutes les lampes étaient allumées. Intrigué, énervé, il s'aventura dans la chambre dont la porte était largement ouverte. Il était certain d'avoir posé son carnet noir sur la coiffeuse.

Ce qu'il découvrit lui glaça le sang.

Le cadavre désarticulé gisant sur le lit était si horrible que John Garret ne put s'empêcher de pousser un cri d'épouvante.

CHAPITRE 2

L'ex-inspecteur-chef Higgins, le dos bien calé contre une souche, les talons enfoncés dans le sol humide, le regard pointé vers le léger remous qui venait d'agiter la surface de la rivière, releva d'un coup sec le manche de sa canne à pêche.

Au bout de la ligne, rien.

Depuis plus de trois heures, il s'acharnait dans sa tentative de prendre un quelconque poisson. Son expédition avait été scientifiquement préparée : lecture d'un manuel en deux tomes, achat d'un instrument de qualité supérieure, des vers gras et appétissants pour n'importe quel poisson intelligent... en pure perte. « Ni chasseur, ni pêcheur », conclut Higgins, « tel est mon lot sur cette terre. »

Ce qu'il appréciait, en revanche, c'était cet endroit frais qui le mettait à l'abri des rayons du soleil de juin. La canicule accablait depuis trois jours le village de *The Slaughterers* (1) où Higgins avait pris sa retraite, jouissant du calme et de la beauté de sa demeure familiale, le plus beau fleuron architectural du Gloucestershire. La température, insupportable, dépassait vingt degrés. Par bonheur, la météo annonçait pour le lendemain pluie et brouillard. Le temps revenait à la normale.

(1) Les Assassins.

Consultant son oignon, Higgins s'aperçut qu'il avait juste le temps, en marchant à son rythme, de regagner sa propriété pour l'heure du déjeuner. Sa gouvernante, Mary, servait le repas à midi vingt et ne supportait pas le moindre retard. Agée de soixante-dix ans, elle était dotée d'une constitution si robuste qu'elle ne tombait jamais malade. Higgins qui, comme tout un chacun, était affligé de mille petits maux, passait pour un simulateur lorsqu'il déclarait souffrir d'un coryza ou d'un rhumatisme.

Juin, en dépit des risques de chaleur, avait en sa faveur la qualité de sa lumière et la beauté de ses couleurs. Higgins levait souvent la tête pour goûter les nuances de vert inscrites dans les feuillages d'arbres centenaires, chênes et hêtres, fièrement dressés vers le ciel.

Il passa sur le petit pont de bois enjambant l'Eye et donnant accès à son domaine qu'il avait baptisé de l'humble nom de « cottage ». Il franchit un porche soutenu par deux colonnes et découvrit, avec un émerveillement toujours renouvelé, la façade à deux étages, rythmée par des fenêtres XVIIIᵉ à petits carreaux disposées selon le Nombre d'Or, le toit d'ardoise et les hautes cheminées de pierre.

Sa contemplation fut interrompue par la présence d'un homme faisant les cent pas devant la porte principale.

Le superintendant Scott Marlow était aussi mal fagotté qu'à l'habitude. Costume trois-pièces à rayures coupé par un tailleur travaillant à la serpe, cravate mal assortie, chemise au col trop large et aux manches trop longues... S'il en avait le temps, il faudrait bien que Higgins aborde un jour ces problèmes fondamentaux avec son collègue.

– Salut, Higgins! Beau temps, n'est-ce pas?

Higgins regrettait l'époque où l'on souhaitait le « bon jour ». Scott Marlow avait la déplorable habitude d'oublier les anciennes formules de poli-

tesse qui avaient créé la civilisation et repoussé
une barbarie de plus en plus envahissante.

— J'espère que je ne vous dérange pas, Higgins.
Une urgence...

— Urgence, urgence, marmonna l'ex-inspecteur-
chef qui n'avait plus qu'une minute pour pénétrer
dans sa demeure, ôter ses bottes et s'asseoir à la
table du déjeuner.

Mary apparut sur le seuil.

— Lorsque vous avez un invité, ayez au moins
la décence de me prévenir! dit-elle d'un ton rogue,
dévisageant Higgins sans complaisance. Heureuse-
ment, je prévois toujours tout... le rôti est prêt.
Dépêchez-vous. Vous discuterez plus tard de vos
sordides affaires.

Mary avait le plus grand mépris pour le Yard
qu'elle imaginait comme un repaire de sadiques et
de bourreaux.

Le déjeuner se déroula en silence. Scott Marlow
n'osa pas reprendre la parole. Salade d'artichauts,
rôti de bœuf sauce moutarde, fromage de chèvre
frais, charlotte au chocolat : le repas de Mary
était succulent. C'était l'avis autorisé d'un superbe
chat siamois, Trafalgar, qui s'était installé sur les
genoux de Higgins et bénéficiait largement des
meilleurs morceaux de chaque plat qu'il savourait
avec délectation. Trafalgar était gastronome.
D'ordinaire, Higgins préparait lui-même, dans sa
cuisine privée, les menus du siamois.

— Venez avec moi, dit Higgins à son collègue.
Une urgence.

Tandis que Trafalgar se pelotonnait sur un
fauteuil pour jouir des bienfaits d'une longue
sieste, Higgins emmena son collègue dans la rose-
raie. Il y travaillait quotidiennement à la création
de nouvelles espèces sans jamais faire appel à la
chimie.

L'ex-inspecteur-chef s'agenouilla devant une
« princesse de Thèbes » d'un rouge très profond.

— Admirez ce chef-d'œuvre, mon cher Marlow... elle est aussi belle que susceptible. Si je ne lui parle pas avec affection, elle se plisse, se referme, refuse de briller. Elle a horreur du bruit.

— Higgins, mon urgence...

— Taisez-vous, mon cher Marlow et recueillez-vous. Il n'y a rien de plus urgent que le bien-être d'une rose.

Par moments, Higgins exaspérait Marlow. Mais, bien qu'il ait choisi une retraite anticipée au moment même où il risquait d'être appelé à de hautes responsabilités, Higgins demeurait le meilleur « nez » du Yard, l'homme qui était parvenu à démêler les fils des affaires criminelles les plus embrouillées. L'ennui, c'est qu'il les choisissait et que personne ne connaissait ses critères.

— Ne seriez-vous pas ici, mon cher Marlow, parce que vous avez un sérieux tracas?

— Eh bien, Higgins, je dois avouer...

— Expliquez-vous clairement, superintendant. Si vous procédez par allusions obscures, nous ne progresserons pas d'un pouce.

Chaussant des gants de jardinier, Higgins prit un sécateur et commença à soigner un rosier grimpant.

— Un meurtre, Higgins, un meurtre horrible...

— Tout meurtre est horrible par définition, mon cher Marlow.

— Oui, bien sûr, mais celui-là... une jeune fille de dix-neuf ans, très belle, riche, célèbre...

— Curieux, observa l'ex-inspecteur-chef. Je n'ai vu aucune allusion dans le *Times*.

— Eh bien... c'est tout à fait normal... Le Premier ministre a exceptionnellement demandé le silence total à la presse pendant quelques jours, dans l'intérêt de l'enquête... Il se trouve que la jeune fille assassinée, Cecilia Ambroswell, était... était...

– Etait la fille d'un ministre très en vue, compléta Higgins.

– Voilà! soupira Marlow. Vous comprenez pourquoi Scotland Yard doit agir vite et avec le maximum de discrétion. A côté de l'enquête officielle, la Couronne souhaiterait une autre démarche... J'ai été chargé de vous proposer cette mission.

Higgins tâtait avec précaution une épine de bonne taille.

– Vous... vous acceptez?

– Pas de conclusions hâtives, mon cher Marlow. Scotland Yard se débrouillera fort bien sans moi. Triste destin que celui de cette jeune fille, mais il ne me concerne pas. Je suis trop occupé, ici... Les roses, les bons auteurs, Trafalgar, les promenades, le feu de bois... je n'ai plus une minute à moi.

Higgins gratta la terre au pied d'un plant de « princesse de Galles ». Scott Marlow trépignait. Quels arguments employer pour convaincre l'ex-inspecteur-chef, l'homme le plus têtu que la terre ait porté?

– Même si le sort de cette malheureuse vous indiffère, insista-t-il, songez au moins à l'honneur du gouvernement de Sa Majesté!

– Qu'il y songe d'abord lui-même, rétorqua Higgins, bougon. Les gouvernements passent leur temps à tromper les citoyens et finissent par se mentir à eux-mêmes.

– Et l'Angleterre, Higgins! Et Sa Majesté!

– Elles survivront toutes deux à ce scandale.

– Mais votre conscience professionnelle...

– Ma conscience n'a pas besoin d'être professionnelle, dit Higgins, sévère.

Scott Marlow, dépité et furieux, tourna le dos à son collègue. Echec total. Jamais, dans le passé, il n'avait réussi à faire revenir Higgins sur une décision. Ce dernier, estimant que l'entretien était terminé, montait sur un escabeau pour atteindre le sommet d'un jeune rosier grimpant.

— Je vous laisse, Higgins, dit Scott Marlow, abattu. Je m'occuperai moi-même de cette affaire. Je pars immédiatement pour Cambridge.

— Pardon?

Le superintendant se retourna. Higgins était descendu de son perchoir. Il posa le sécateur sur le rebord de la verrière.

— Je prends mes responsabilités, affirma Scott Marlow, bombant légèrement le torse.

— Je n'en doute pas, superintendant. Où allez-vous exactement?

— A Cambridge, à St. John's College. Là où le meurtre a eu lieu.

— Ayez l'amabilité de m'attendre quelques minutes. Je m'habille décemment et nous partons.

CHAPITRE 3

Higgins et Scott Marlow s'étaient installés le plus confortablement possible sur les banquettes usagées du train qui les emmenait vers Cambridge. Higgins avait refusé tout autre moyen de transport, ne donnant aucune explication à son collègue, dépité de ne pouvoir utiliser sa vieille Bentley.

Pour Higgins, la vie privée était une valeur sacrée. Il tenait en haute estime le superintendant Marlow, policier honnête et consciencieux, mais pas au point de lui avouer qu'il refaisait ainsi un voyage qui avait marqué sa jeunesse. Bien des années plus tôt, en effet, il avait pris ce même train pour se diriger vers l'inconnu, vers Cambridge et y commencer des études supérieures. Rien n'avait vraiment changé : les sièges en tissu, les voyageurs serrés les uns contre les autres, les bagages entassés dans l'étroit couloir central où il était impossible de passer, les minuscules gares champêtres où le train s'arrêtait parfois.

— Nous avons déjà plus d'une demi-heure de retard sur l'horaire prévu, constata Higgins en consultant son oignon.

— Le gouvernement a décidé de distribuer vingt mille montres aux conducteurs des chemins de fer, indiqua Scott Marlow qui avait horreur des transports en commun. Grâce à l'intervention de Sa Majesté, il y a un mois, les cheminots s'étaient souvenus que l'exactitude est la politesse des reines. Mais il faut leur donner le moyen de mettre leur accord en pratique. Les syndicats ont accepté à condition de pouvoir vérifier la qualité des montres.

Soudain, le train s'immobilisa. Des voyageurs ouvrirent les portières qui donnaient directement sur la voie.

– Tout le monde descend! annonça un contrôleur à l'aide d'un porte-voix. N'oubliez pas vos bagages.

Intrigués mais dociles, les voyageurs s'exécutèrent. Le contrôleur expliqua que l'on effectuait des réparations sur la voie, omettant d'ajouter qu'elles succédaient à des réparations antérieures déficientes. Il fallait donc se résoudre à emprunter un autobus à deux étages et plusieurs cars d'un âge certain pour atteindre Cambridge.

« Il me semblait bien que rien n'avait changé, mais à ce point-là! », s'étonna Higgins en son for intérieur. Lors de son premier voyage vers Cambridge, en effet, il avait vécu la même aventure. A croire que la voie ferrée était en amélioration permanente.

– Si nous avions pris ma Bentley, grommela Scott Marlow en grimpant dans l'autobus, nous n'aurions pas tous ces ennuis...

– Comme l'écrit la grande Harriet Harrenlittlewoodrof, nota Higgins, un rien sentencieux, « le temps qui passe ne touche pas l'homme qui le dépasse ».

Le superintendant préféra se taire. Il n'avait aucun goût pour la littérature et encore moins pour les femmes qui se piquaient d'écrire. Il n'avait d'ailleurs d'admiration totale que pour Sa Majesté la reine Elisabeth II dont la beauté et l'élégance le fascinaient depuis toujours. Son vieux rêve, faire partie de la protection rapprochée de la souveraine, ne s'était pas encore réalisé, mais il ne désespérait pas. Et il était obligé de ménager Higgins qui semblait avoir certains liens obscurs avec la Couronne. Scott Marlow aurait aimé en savoir davantage sur ce point, mais l'ex-inspecteur-chef ne disait que ce qu'il voulait bien dire.

A des champs de blé succédèrent des étendues plates plantées de haies. Cette campagne parut à Higgins moins jolie qu'à son époque.

— Connaissez-vous Cambridge, mon cher Marlow?

— Je n'ai pas cet honneur. J'ai fait mes études à Londres. Ces collèges huppés sont réservés à des privilégiés. Si, au moins, ils se tenaient tranquilles... Voilà qu'ils commencent à commettre des meurtres! Où allons-nous, Higgins, mais où allons-nous?

« A Cambridge », eut envie de répondre Higgins qui déplorait les graves événements frappant la cité universitaire et risquant de souiller son blason. C'était précisément la raison pour laquelle il avait accepté de sortir de sa retraite. Il volait au secours de son passé, des années studieuses de sa jeunesse, de ces instants inoubliables passés à Cambridge. Il n'avait pas le droit de laisser le crime ternir la réputation de collèges historiques où se formait l'élite de l'Angleterre.

— Que savons-nous du crime? demanda Higgins, alors que l'autobus entrait dans la banlieue industrielle de Cambridge, peuplée de gazomètres, de tas de charbons et de containers.

— Presque rien, confessa le superintendant. La victime, Cecilia Ambroswell, a été mortellement frappée à coups de rame. L'arme du crime gisait près du lit de la victime. La police locale n'a fait qu'un rapport très succinct. A Cambridge, les autorités sont paniquées en raison de la personnalité de la victime.

L'autobus s'arrêta à la gare de Cambridge. Les deux policiers empruntèrent un petit bus rouge qui les conduirait au centre de la cité ancienne. Il y avait peu de circulation dans les rues de la vieille ville où l'on se déplaçait de préférence à bicyclette.

Scott Marlow, mal à l'aise dès qu'il s'éloignait de Londres et de Scotland Yard, ressentit pourtant une impression d'apaisement et de quiétude en découvrant cette agglomération d'un autre temps où battait encore le cœur du Moyen Age, de ce XIII° siècle où une guilde de marchands, des congrégations religieuses et un prévôt avaient décidé de faire de Cambridge l'un des plus grands centres intellectuels du monde civilisé.

Aux oreilles attentives résonnaient encore les échos de la grande foire qui, chaque année, à la fin du mois d'août, se tenait sous les auspices de l'hôpital de Marie-Madeleine. On y échangeait laine, étain et plomb contre du bois et des vins venus de France et d'Italie. Les étudiants avaient commencé à se réunir entre eux, dans des *lodging houses*, modestes maisons meublées où ils recueillaient l'enseignement des professeurs qui, passant par là, acceptaient de leur offrir leur science. En ces temps héroïques, pas d'administration centrale, pas de supérieurs hiérarchiques... rien que le plaisir d'apprendre, indépendamment des écoles religieuses.

Si l'on se souvenait de la date de 1209 comme marquant la fondation officielle de Cambridge par un groupe d'étudiants, il était hors de question de préciser que la plupart d'entre eux venaient d'Oxford, d'où les avait fait chasser leur comportement fort exubérant. D'ailleurs, Oxford n'existait pas ou bien se trouvait dans un autre pays, si lointain que personne, à Cambridge, n'en avait entendu parler.

En ce dimanche d'été, les rues de Cambridge étaient presque vides. Des boutiques fermées, pas un seul étudiant en promenade. Le bus déposa les deux policiers devant le Fitzwilliam Museum. Au-delà battait le cœur de l'antique cité avec ses fameux collèges, Queen's College, King's College, Clare College, Trinity College, Christ's College, St. John's College et quelques autres desservis par King's Parade Trinity Street et St. John's Street.

Tous les étudiants de Cambridge étaient d'accord pour dire que leurs collèges étaient plus beaux que ceux d'Oxford, dont les grandes cours carrées bordées de galeries cloîtrées finissaient par être ennuyeuses. A Cambridge, au contraire, chaque établissement avait son génie propre et son originalité. Puissants et massifs, mais aussi aériens et élégants, ils étaient les inaltérables bastions de la culture britannique.

Higgins retrouvait vite ses souvenirs. Suivi de Scott Marlow, il flâna un peu dans Market Street, passa dans Sidney Street et se dirigea vers Christ's College où il avait rendez-vous avec celui qu'on appelait « le Maître de Cambridge ». Ses jambes le guidaient toutes seules, retrouvant des sensations vieilles de plusieurs années, à l'époque où le jeune Higgins arpentait, un livre à la main, les artères de la cité.

— Il paraît que le bonhomme n'est pas commode, dit Scott Marlow, inquiet à l'idée de rencontrer l'une des têtes pensantes du Royaume.

— Vous voulez sans doute parler de Sir Caius Gateway?

— C'est ça... le Maître de Cambridge. Un véritable despote, à ce qu'on dit.

— Un très grand scientifique à la pointe des recherches médicales, rectifia Higgins. Il s'est sacrifié pour Cambridge. Il a en grande partie renoncé à sa discipline pour s'occuper de l'administration de l'université.

Scott Marlow tomba en admiration devant la porte de Christ's College. Elle ressemblait à une porte fortifiée médiévale à deux tourelles, percée d'un portail d'accès dans sa partie inférieure. Son aspect sévère était atténué par des ornementations dorées. L'ensemble évoquait davantage l'accès d'un château que celui d'un collège.

— Quelle chaleur, se plaignit Higgins qui voyait avec satisfaction de gros nuages noirs se rassembler dans le ciel.

L'intérieur de Christ's College n'était pas moins splendide que son entrée. Autour d'une pelouse tondue à la perfection, des bâtiments bas aux toits d'ardoise, et pour fleuron, *The Master's Lodge*, avec ses deux étages de fenêtres à petits carreaux et son balcon sculpté.

Higgins regarda avec tendresse le célèbre mûrier sous lequel le grand poète Milton, entré dans ce collège en 1625, avait composé des vers immortels dont l'influence sur l'œuvre de Harriet Harrenlittlewoodrof était si sensible.

Un valet de chambre accueillit les deux policiers sur le seuil de la Loge du Maître.

— Sir Caius vous attend, messieurs. Si vous voulez bien me suivre.

Le serviteur les introduisit dans un étrange salon assez bas de plafond. Ce dernier était constitué de caissons sculptés où l'on apercevait des têtes de sangliers. Au-dessus de la cheminée, des trophées de chasse. Les canapés et les chaises étaient recouverts de peaux d'ours. Sur une table ronde montée sur des cornes de cerf, un échiquier. L'unique lampadaire, distribuant une lumière parcimonieuse, avait été installé à l'intérieur d'une armure médiévale.

Higgins, conformément à ses habitudes professionnelles, commença à déambuler. Il aimait s'imprégner de l'atmosphère d'un lieu, noter mille et un détails. Il s'arrêta devant une tapisserie représentant le départ d'une chasse à courre. Mais il n'eut pas le temps de pousser plus avant ses investigations. Derrière lui résonna une voix grave.

— Un vrai chef-d'œuvre, n'est-ce pas?

CHAPITRE 4

Higgins se retourna lentement. D'abord, parce qu'il n'était guère impressionnable. Ensuite, parce que son arthrite du genou ne lui laissait aucune possibilité de geste brusque.

— Sir Caius, je présume?

— Je vois que Scotland Yard n'a rien perdu de sa perspicacité, ironisa le personnage, allumant un gros cigare et s'asseyant avec une parfaite décontraction.

— Prenez place, messieurs, les invita-t-il.

Scott Marlow s'attendait à découvrir un petit homme à lunettes, presque chauve, les yeux rougis par la lecture et le teint à jamais blêmi par les heures de recherches passées en bibliothèque. Sir Caius Gateway était tout le contraire. Grand, la cinquantaine flamboyante, une magnifique chevelure argentée évoquant la crinière d'un lion, très élégant, pétillant de force et de santé, il ressemblait davantage à un éternel jeune premier qu'à l'administrateur de la plus célèbre université britannique.

— Que désirez-vous boire, messieurs? Whisky, porto, cherry?

— Rien pour le moment, répondit Higgins, au grand désespoir de Scott Marlow.

— Vous êtes un homme de rigueur, monsieur... monsieur comment?

— Higgins. Permettez-moi, Sir Caius, de vous

présenter mon collègue le superintendant Scott
Marlow. Vous savez sans doute que nous avons
pour mission de mener l'enquête la plus discrète et
la plus rapide possible sur l'assassinat de Cecilia
Ambroswell.

– Le ministre m'a prévenu ce matin. Ni lui ni
moi ne sommes optimistes.

– Pourquoi donc, Sir?

– Parce que tout est extrêmement mystérieux
dans cette affaire.

– Vous me permettrez d'en juger moi-même,
Sir.

Un épais silence s'installa. De ses yeux per-
çants, le Maître de Cambridge détailla l'homme
qui osait le défier, cet ex-inspecteur-chef de taille
moyenne, plutôt trapu, aux cheveux noirs, à la
lèvre supérieure ornée d'une moustache poivre et
sel, les tempes grisonnantes, l'air à la fois débon-
naire et malicieux. Au premier coup d'œil, Sir
Caius l'aurait même estimé un peu pataud. Mais il
se demandait s'il ne lui faudrait pas réviser cette
opinion.

– Le ministre m'a parlé de vous, Higgins. Il
paraît que vous avez résolu des énigmes extraordinaires, que vous êtes une sorte de Sherlock Hol-
mes.

– Désolé de vous décevoir, Sir. Je n'utilise que
l'ordre et la méthode. Mais sans omettre le moindre indice. Et rien ne me prouve encore que mon
collègue et moi-même réussirons à découvrir l'assassin de Cecilia Ambroswell.

– La police à Cambridge... se plaignit Sir Gateway. J'ai pratiquement expulsé vos collègues, je ne
vous le cache pas. J'ai refusé que des agents en
uniforme perturbent la sérénité de St. John's
College où s'est produit le drame. A présent, vous
voilà... je vous avoue que votre départ me com-
blera d'aise.

– Même si ce meurtre demeure impuni? intervint Scott Marlow, que la superbe du Maître de Cambridge commençait à irriter.

— L'essentiel, répliqua sèchement ce dernier, c'est la réputation de Cambridge. Il faut qu'un silence total recouvre cette malheureuse affaire.

— Je tiens autant que vous à l'honneur des collèges, dit Higgins avec douceur.

Sir Caius redressa le menton, choqué.

— Cela m'étonnerait. A quel titre?

— A cause de ceci, précisa l'ex-inspecteur-chef, tendant au Maître de Cambridge une photo noir et blanc.

Le puissant personnage éprouva l'une des plus grandes surprises de sa carrière. Comment ne pas reconnaître immédiatement l'un des plus performants équipages de rameurs, celui qui, au lendemain de la Seconde Guerre mondiale, avait permis à l'équipage de Cambridge de triompher de celui d'Oxford, avec plus de dix longueurs d'avance? A l'avant du bateau, il y avait Duncan Mac Gordon (1) et, comme barreur, un étudiant portant une petite moustache qui était déjà poivre et sel.

— C'était... c'était vous? interrogea Sir Caius, abasourdi.

Higgins se contenta de hocher la tête affirmativement. Scott Marlow, qui ne comprenait pas ce qui se passait, tentait en vain de percer le lourd secret partagé entre le Maître de Cambridge et l'ex-inspecteur-chef.

— Me permettez-vous, inspecteur, de garder ce document?

La voix du grand personnage s'était faite très douce, presque enjôleuse.

— Bien entendu, Sir Caius. Je suis heureux de vous offrir ce tirage. Vous comprenez pourquoi, à présent, le destin de Cambridge ne me sera jamais indifférent.

(1) Lire *Le secret des Mac Gordon*.

– Si je comprends! Vous avez participé à ce destin, monsieur Higgins. Ce que vous avez fait, personne ici ne peut l'oublier.

Le superintendant Marlow ne savait plus très bien où il se trouvait. Exclu de cet entretien dont il ne possédait pas les clés, il fulminait.

– Cette victoire, poursuivit le Maître de Cambridge, est la plus retentissante jamais obtenue. D'après mes dossiers, vous aviez demandé l'anonymat.

– Le secret avait été bien gardé par le chef d'équipe, mon ami Duncan Mac Gordon, aujourd'hui disparu, révéla Higgins. J'étais décidé à ne rien révéler, mais, dans les circonstances présentes, j'avais besoin de votre confiance.

– Vous l'avez, déclara Sir Caius avec solennité. Et si vous pouviez donner des conseils à notre barreur, vous feriez honneur à votre passé.

– Si nous parlions du meurtre, intervint Scott Marlow, excédé.

Le Maître de Cambridge fusilla du regard l'impertinent policier qui osait briser une conversation de cette importance où étaient évoquées les valeurs essentielles de Cambridge.

– Il faut bien en passer par là, reconnut Higgins, conciliant. Et le temps presse... Nous ne musèlerons pas la presse très longtemps.

Une ride d'inquiétude creusa le front de Sir Caius.

– C'est vrai... J'ai essayé de me cacher la vérité, mais je sais que le pire des scandales nous guette. Le ministre m'a confirmé que nous ne pourrions bientôt plus faire taire les meutes hurlantes, prêtes à se jeter sur n'importe quel ragot pour attiser le goût du sensationnel... Vous êtes chargé d'une mission sacrée, monsieur Higgins. Il faut sauver Cambridge du déshonneur. Trouvez l'assassin de la malheureuse Cecilia.

– Facile à dire, observa Scott Marlow avec aigreur. Que sait-on au juste sur ce crime?

Une seconde ride se grava sur le front du Maître de Cambridge.

– Hélas, pas grand-chose... c'est le *scout*, le serviteur de Cecilia, un jeune homme nommé John Garret qui a découvert le cadavre. Cecilia avait organisé une *party* pour la fin de l'année universitaire. Elle y avait invité son fiancé, le comte Herbert von Wigelstein, ses amies Olivia Parker, Jennifer Storey et Henrietta Siwell. Malgré sa... sa condition, John Garret avait été exceptionnellement accepté dans ce cercle très fermé. D'après son témoignage, tous ces jeunes gens étaient partis en même temps. Lui est revenu parce qu'il avait oublié un document de travail essentiel à ses yeux. Et il a découvert l'horrible spectacle. Cecilia Ambroswell, étendue sur le lit, le crâne fracassé par une rame cassée, posée sur le plancher et portant des traces de sang.

Higgins avait noté noms et indications sur un carnet noir, de son écriture fine et rapide. Il n'utilisait qu'un crayon Staedler Tradition B qu'il taillait lui-même dès que le besoin s'en faisait sentir.

– Personne d'autre à cette *party*?

– Non. Tous les participants se sont spontanément présentés à moi. Tous ont donné la même liste d'invités.

– Sait-on d'où provenait cette rame cassée? s'enquit Higgins.

– De l'atelier de Duke, l'homme à tout faire de Cambridge. Son atelier se trouve dans une dépendance de Clare College. C'est un bricoleur hors pair. Il répare n'importe quoi avec succès. Il avait emporté cette rame dans son atelier pour l'examiner de près, ayant remarqué une fissure. Quelqu'un l'a cassée et en a emporté un morceau pour en faire une arme mortelle.

– Qui est ce Duke? interrogea Scott Marlow, flairant aussitôt une piste intéressante.

D'expérience, le superintendant avait constaté

qu'il n'y avait jamais de fumée sans feu. Si l'arme du crime avait réellement été volée dans l'atelier de Duke, ce qui restait à démontrer, ce prétendu innocent n'aurait-il pas participé de près ou de loin au délit?

– Duke est un vieil homme d'une honnêteté scrupuleuse, affirma le Maître de Cambridge. Il est totalement dévoué à l'université. Personne, mieux que lui, ne saurait réparer un aviron et préparer notre bateau pour la course. Il est digne de votre considération. Ces tragiques événements l'ont plongé dans le plus complet désarroi. Si vous souhaitez l'interroger, ce qui ne vous apportera rien, ménagez ses forces.

– Comptez sur nous, Sir Caius, dit Higgins continuant à prendre des notes. Qui était au juste la victime, Cecilia Ambroswell?

Pour la première fois, le Maître de Cambridge parut ennuyé, hésitant. Il réfléchit pendant de longues secondes.

– Cecilia Ambroswell était une jeune femme magnifique. Belle, intelligente, raffinée... mais aussi impulsive et violente, en certaines occasions. A mon avis une grande carrière se serait ouverte devant elle... à condition, bien sûr, qu'elle acceptât de travailler vraiment. C'est sur ce point que le bât blessait. Cecilia avait beaucoup de facilités, trop de facilités... L'examen de l'année prochaine aurait été trop difficile pour elle. Elle étudiait en dilettante. Pendant les deux premières années, son attitude d'équilibriste lui avait permis de franchir victorieusement les étapes. Mais la suite était autrement plus rude...

– Autrement dit, interpréta Higgins, si Cecilia n'avait pas été la fille d'un ministre, vous n'auriez pas accepté qu'elle continuât ses études à Cambridge...

– Je n'irai pas jusque-là, inspecteur, mais cette hypothèse était peut-être envisageable...

– Que pensez-vous de son fiancé, le comte Herbert von Wigelstein?

– Un homme exceptionnel. Famille noble, vaste culture, aptitudes intellectuelles hors du commun. La fortune innée et une forte personnalité. Un des plus brillants sujets de Cambridge. Ses professeurs le considèrent déjà comme l'un des meilleurs spécialistes mondiaux de littérature comparée. Il parle cinq langues couramment. Sa mémoire est extraordinaire.

– Comment se fait-il qu'il soit tombé amoureux d'une jeune personne... un peu écervelée?

– L'amour est aveugle, inspecteur... je n'ai jamais osé en parler au comte Herbert, mais je comptais bien lui en toucher prochainement un mot. Cecilia était très belle, il est vrai. Herbert von Wigelstein s'est laissé éblouir. Défaut irrémédiable de la jeunesse, comme l'écrivait Walpole... mais notre rôle est précisément d'éviter des erreurs fatales, pouvant compromettre définitivement une carrière. Je vous recommande d'épargner au maximum le comte von Wigelstein. C'est un être sensible, presque susceptible, qui pourrait sombrer dans une dépression s'il se sentait soupçonné d'avoir commis un meurtre. Dès que vous le connaîtrez, vous comprendrez aussitôt qu'il ne peut être coupable d'un acte aussi abominable.

Une nouvelle fois, Scott Marlow sentit s'éveiller son instinct de policier. Des assassins hypersensibles, gentils, impressionnables, il en avait connu. Et pourquoi donc le tout-puissant Sir Caius protégeait-il ainsi le jeune homme?

Higgins consultait son carnet. Il y avait inscrit le nom des participants à cette *party* qui s'était si mal terminée. Une page était consacrée à chacun d'eux.

– Qui est Olivia Parker?

– Une très grande amie de Cecilia, répondit le Maître de Cambridge. C'est elle qui l'a initiée à tous les petits secrets de l'université et lui a permis de s'introduire dans notre monde et de connaître ses lois. Olivia Parker est la bibliothécaire en chef de Trinity College, la plus prestigieuse de Cambridge. Une belle intelligence et une carrière menée avec un discernement remarquable.

— Pourrais-je vous demander son âge? s'enquit Higgins.

— Une trentaine étincelante.

— Mariée?

— Non. Olivia Parker est une personne d'une indépendance farouche. Elle est très près des étudiants, elle aime la jeunesse. Elle n'a jamais caché son admiration pour Cecilia. Cette horrible disparition l'a profondément éprouvée.

Scott Marlow aurait aimé poser beaucoup d'autres questions sur cette bibliothécaire dont le rapide portrait lui parut aussitôt suspect. Mais Higgins sembla satisfait des réponses de Sir Caius.

— Jennifer Storey?

— Une mathématicienne de très haut niveau. La perle de Queen's College. Famille fortunée. Une jolie jeune fille, vivante, parfois malicieuse, un esprit trop critique... Elle s'entendait à merveille avec Cecilia. Il y a eu quelques petits heurts entre elles, mais rien de bien grave...

L'intérêt du superintendant fut brutalement accru. « Quelques petits heurts... » Le Maître de Cambridge utilisait des demi-teintes. Cela signifiait sans nul doute que les deux jeunes filles s'étaient violemment querellées. Restait à trouver le motif des disputes. Un homme, probablement.

— Henrietta Siwell?

— La meilleure choriste de King's College et une historienne de haut niveau. Plusieurs carrières possibles, en fonction de ses nombreux talents. Très anticonformiste, parfois rêveuse, dotée d'un enthousiasme communicatif et d'un formidable sens de l'humour. Elle et Cecilia s'amusaient comme des folles. Elle doit être désespérée mais masquera son chagrin pour mieux dissimuler sa sensibilité.

« Une dissimulatrice », pensa aussitôt Scott Marlow. La pire des races.

— Et John Garret, l'étudiant qui a découvert le meurtre?

Le Maître de Cambridge parut de nouveau gêné.

— Un brave garçon... mais de condition très modeste. Il tente de réussir ses études à la force du poignet. Un des plus extraordinaires travailleurs que j'aie connus. Une puissance de concentration incomparable. Sans l'appui de Cecilia Ambroswell, il n'aurait pu demeurer ici... C'est un domestique fidèle. Aujourd'hui, il doit être particulièrement angoissé. Il lui faudra retrouver un autre étudiant fortuné pour lui servir de *scout*.

« Celui qui aura le plus à pâtir de la mort de Miss Ambroswell », jugea Scott Marlow, « mais aussi celui qui a découvert le corps. Bizarre. Dans le domaine criminel, il n'y a pas de hasard. Celui-là est un peu trop voyant. »

Higgins se leva et recommença à déambuler dans le salon.

— Etes-vous un passionné de chasse, Sir Caius?

— Pas du tout, répondit le Maître de Cambridge. Je déteste même cette activité barbare. Mais il s'agit d'un legs de la Couronne qui a envoyé ici un décorateur pour que ces pièces soient exposées. Impossible de refuser... Je suis dans un logement de fonction.

— Dans votre position, il n'est certes pas facile d'éviter quelques concessions, reconnut Higgins. Le premier chancelier de Cambridge, Hugh de Hottun, élu en 1246, avait déjà dû composer avec l'Eglise qui ne voyait pas d'un bon œil la naissance d'un enseignement laïque.

— Vous connaissez bien notre histoire, se rengorgea Sir Caius, mi-intrigué, mi-vexé.

– Pas autant que je le souhaiterais, Sir. Le plus surprenant, n'est-ce pas, est que la seule discipline obligatoire demeure l'éducation religieuse.

Scott Marlow, en apprenant cette bonne nouvelle, se fit une meilleure opinion de l'université. Bien que sa croyance en Dieu fût fluctuante au gré de ses enquêtes, il estimait que le respect des valeurs était primordial. C'est grâce à elles que s'était édifié l'Empire britannique, c'est grâce à elles qu'il s'édifierait à nouveau.

– Chaque collège dispose toujours d'une chapelle, en effet, reconnut Sir Caius qui se demandait où Higgins voulait en venir.

– Quelle était la tendance religieuse de Miss Ambroswell?

– Je n'en ai pas la moindre idée, répondit le Maître de Cambridge.

– Etes-vous satisfait, Sir, des prévôts qui dirigent les collèges et des *Fellows* (1) qui y enseignent?

– Tout à fait, monsieur Higgins. Chacun remplit sa tâche avec conscience. Les diplômes que je délivre récompensent des étudiants de grande valeur qui ont reçu une formation de haut niveau.

– Le prévôt de St. John's College était-il présent dans son établissement, le soir du crime?

– Ni lui ni aucun professeur. Cambridge était désert. Cecilia Ambroswell avait choisi une date fort tardive pour sa *party*. La presque totalité des étudiants était déjà en vacances.

– Avait-elle retenu de force ses invités? demanda Scott Marlow, intrigué.

– Eh bien... je l'ignore. Mais cela me paraît improbable. Pour quel motif aurait-elle agi ainsi?

(1) Professeurs élus à vie, chargés de la recherche et de l'enseignement.

– A nous de le découvrir, affirma le superintendant, martial.

Higgins détaillait l'armure médiévale servant de pied de lampe. Il se demandait si le décorateur mandaté par la Couronne avait encore toute sa tête. L'ex-inspecteur-chef prit quelques notes supplémentaires puis se dirigea vers la porte de ce salon voué à la célébration de la chasse.

– Merci de votre parfaite collaboration, Sir... Vos analyses et vos remarques me seront des plus précieuses. Pourriez-vous m'indiquer l'emplacement exact de la chambre de Cecilia Ambroswell?

– Au premier étage de St. John's College, dans l'aile résidentielle, tout au fond du couloir. En voici la clé. Le double se trouve au poste de police de Cambridge, de même que le morceau de rame qui a servi d'arme du crime. On m'a assuré qu'aucun autre objet n'avait été déplacé.

– Avez-vous revu cette chambre, après le crime?

– Je vous avoue que je n'en ai pas eu le courage. Personne n'y a pénétré depuis que la police a enlevé le corps qui a été transporté à Londres pour autopsie.

Scott Marlow s'apprêtait à prendre congé, lorsque le Maître de Cambridge se leva avec nervosité et se plaça devant Higgins.

– Inspecteur... Comment comptez-vous procéder?

Trois rides creusaient le front de Sir Caius Gateway.

– Avec la précision du barreur que je fus, Sir.

CHAPITRE 5

Higgins et Scott Marlow quittèrent Christ's College pour se diriger vers St. John's College où l'une des plus riches héritières britanniques avait terminé sa courte existence de tragique manière.

C'est à mi-chemin que les premières gouttes les surprirent. Le superintendant, qui portait les deux petites valises de vêtements dont les deux policiers avaient pris soin de se munir en prévision d'une enquête de quelques jours, proposa de battre en retraite jusqu'à l'hôtel le plus proche. Higgins refusa, affirmant qu'ils étaient presque arrivés à St. John's College et qu'ils seraient bientôt à l'abri. Pressant le pas, ils ne tardèrent pas à apercevoir, en effet, la majestueuse entrée du vénérable établissement.

– Dommage, dit Higgins en s'immobilisant devant le porche principal aux arcatures élégantes dans les trous desquelles des hirondelles avaient élu domicile.

– Pourquoi donc? s'étonna Scott Marlow.

– C'est ici qu'auraient dû être construites les trois portes symbolisant l'évolution de l'étudiant vers la connaissance : celle de l'humilité en premier, celle de la vertu en second et celle de l'honneur en troisième. Beau programme, n'est-il pas vrai?

Le superintendant se sentit ému jusqu'au fond de lui-même. Ces mots-là résonnaient dans son âme avec la puissance des trompettes du jugement dernier. Malgré ses préventions contre les intellectuels, force lui était de reconnaître que Cambridge était sans doute l'un des derniers bastions de la splendeur britannique qui, pour l'homme du Yard, se confondait avec l'époque victorienne. Il était d'autant plus choqué qu'un crime ait troublé la sérénité de ces lieux.

C'est en passant sous le porche que le superintendant fut atteint dans son intégrité. Un morceau de nid d'hirondelles abandonné s'écroula et tomba sur le col de son veston. Excédé, il se nettoya maladroitement. Les vieilles pierres n'avaient pas que du bon.

Higgins semblait ravi. Une fois l'entrée du collège franchie, il marcha à pas très lents, indifférent aux grosses gouttes d'orage. Il progressait avec respect sur un sol magique, comme s'il redécouvrait des merveilles oubliées. Les bâtiments en brique bordant la grande cour et ses quatre pelouses au carré dormaient d'un sommeil tranquille. Plus de bruits de pas, plus de conversations d'étudiants. Rien que le silence, le passé et un vent léger.

Les deux policiers passèrent dans une galerie couverte donnant sur des jardins et d'immenses pelouses descendant en pente vers la Cam. Le revers des façades offrait le calme spectacle de pierres jaunies, indifférentes aux passions humaines. Scott Marlow fut gagné par le charme émanant de St. John's College. Pendant quelques instants, il en oublia même l'objet de sa venue à Cambridge. Lorsqu'il lui revint en mémoire, il fut d'autant plus scandalisé par l'acte de folie qui avait commandé un crime en ce site voué à la quiétude.

Higgins revivait des souvenirs d'adolescent, ses premières luttes pour s'imposer dans une société très fermée. Par bonheur, il y avait eu des amitiés profondes et chaleureuses. Ses camarades d'étude

étaient restés les membres d'un club qui se réunis-
sait une fois par an en souvenir du bon vieux
temps. Les anciens de Cambridge ne manquaient
pas de faire appel les uns aux autres s'ils avaient
besoin d'aide. Higgins avait eu recours à leurs
services dans certaines de ses enquêtes.

Au cœur de ses études, Higgins était bien loin
de penser à Scotland Yard. Il se destinait à une
carrière d'archéologue que lui rappela furtivement
le monument le plus célèbre de Cambridge, *the
Bridge of Sighs*, le pont des Soupirs qui, d'une
seule arche jetée sur la rivière, reliait entre elles
deux cours du collège. Les deux policiers passèrent le pont dont la partie supérieure était crénelée
à la mode médiévale et les côtés fermés par des
fenêtres gothiques ajourées.

La pluie se déchaîna. Le ciel était d'un noir
d'encre. Les deux policiers traversèrent la seconde
grande cour et entrèrent dans *Combination Room*,
la plus longue pièce de tout Cambridge qui, à
l'origine, avait été la galerie du Maître.

L'endroit était désert.

– Pas âme qui vive, constata Scott Marlow,
vaguement inquiet. Peut-être pourrions-nous laisser les valises ici?

– Autrefois, il n'y avait pas de voleur, à Cambridge. Ayons confiance, superintendant. Montons à la chambre de Cecilia Ambroswell.

Le modernisme n'avait pas atteint les habita-
tions estudiantines, demeurées aussi austères
qu'au Moyen Age. Les hôtes des collèges étaient
là pour travailler, peiner, passer des concours,
obtenir des diplômes. Dormir et manger étaient
des activités secondaires; aussi les réfectoires et les
chambres ne sacrifiaient-ils pas au moindre luxe.
Les futurs dirigeants, cadres ou professeurs,
connaissaient une éducation rigoureuse. Cambridge formait une élite.

Les chambres possédaient de lourdes portes en
chêne d'aspect rébarbatif. Le règlement précisait

qu'elles devaient toujours être fermées. Condamner sa porte, à Cambridge, n'était pas un vain mot. Hors de question de laisser pénétrer le farniente et le laisser-aller. Pour éviter toute ambiguïté, nom et prénom de chaque pensionnaire étaient affichés. De plus, ce dernier devait introduire dans un cadre métallique cloué sur la porte une petite plaque de bois portant d'un côté la mention *in* et de l'autre *out*. Ainsi, le visiteur savait au premier coup d'œil si l'occupant de la chambre était présent ou absent. Au bas de chaque escalier menant à ces logements, un panneau récapitulait les noms des pensionnaires.

Celui de Cecilia Ambroswell n'avait pas été supprimé.

Higgins et Marlow grimpèrent les augustes marches avec précaution. Le bois gémissait. Le palier s'ouvrait sur un long couloir obscur au parquet usé. On se serait cru dans un couvent.

La clé à la main, Higgins progressa jusqu'au fond du couloir se terminant par une porte plus large que les autres. Une plaque en or fixée dans le chêne portait le nom de Cecilia Ambroswell.

Dans le cadre métallique, la petite plaque de bois avec la mention *out*.

La clé grinça en tournant dans une serrure qui devait remonter au XVIᵉ siècle. L'ex-inspecteur-chef poussa lentement la porte. Scott Marlow en retrait, songeait au confort de son bureau moderne de Scotland Yard et à la présence rassurante des ordinateurs. A cet instant, il ne regrettait plus du tout de n'avoir pas fait ses études dans ce collège sinistre et glacial.

Malgré le temps bas et la pluie qui se déchaînait avec une rare violence, la chambre de Cecilia Ambroswell était assez claire, grâce à deux hautes fenêtres illuminant le salon qui précédait la chambre proprement dite.

Higgins fit deux pas à l'intérieur puis s'arrêta comme fasciné par une découverte déroutante.

Scott Marlow, hésitant, s'avança à son tour.

D'abord, il ne vit rien, gêné par son collègue. C'est en se décalant sur la gauche qu'il découvrit, en sursautant, l'incroyable spectacle.

– *My Goodness!* s'exclama-t-il. Quelle folie!

Sur le mur du salon, face à la porte, trônait une photographie en pied de Cecilia Ambroswell. Son nom figurait en lettres d'or au-dessus de cet extraordinaire portrait dont la perfection technique et la fidélité étaient éblouissantes.

Elle vivait.

Les dix-neuf ans de la jeune fille exprimaient, pour toujours, la beauté insolente de la jeunesse. Cheveux d'un noir de jais et d'une somptueuse epaisseur ondulant en vagues profondes, grand front, sourcils longs et fins, cils arachnéens, yeux d'un vert intense, nez à l'arrondi sensuel, lèvres charnues et provocantes, cou d'une élégance de déesse. Cecilia était vêtue d'une robe de soirée à volants et à dentelles vaporeuses mettant en valeur ses seins haut placés et laissant à nu des bras d'une finesse exceptionnelle. Le regard, fier et farouche, fixait le lointain. Dans ses mains jointes, comme dans un geste de prière, elle serrait un livre.

– Fascinante. constata Higgins. Elle est fascinante.

Scott Marlow ne trouvait pas le moindre mot pour qualifier cette femme splendide, dont le magnétisme perdurait au-delà du trépas.

– Elle ne devait pas être commode, dit-il, ayant conscience d'émettre une platitude presque triviale.

– Pis que cela, approuva Higgins. Indomptable.

Le superintendant n'osait pas bouger. Il craignait qu'elle ne se mît en mouvement.

– Elle est vivante, mon cher Marlow. Plus exactement, elle voyage entre cette vie et l'autre. Il en sera ainsi tant que nous n'aurons pas remis à la justice le meurtrier qui eut la cruauté d'interrompre cette existence.

Scott Marlow se sentit soulagé. Bien qu'il eût perçu l'existence de liens intimes entre Cambridge et Higgins, il craignait encore que ce dernier refusât l'enquête et rentrât chez lui sans autre forme de procès. A présent, il le savait concerné par cette jeune morte. Ce crime devenait une affaire personnelle qu'il n'aurait de cesse de résoudre pour être en accord avec sa conscience. Et le superintendant avait l'espoir de revenir au Yard avec un dossier à classer et un avancement à la clé.

Higgins commença à explorer le salon, pièce carrée sans grande valeur. Deux chaises Regency, un bureau victorien, un tapis persan. Dans un angle, posé par terre, un antique phonographe encore pourvu de son haut-parleur en forme de cornet et de son bras muni d'une grosse aiguille. Le plus étonnant était un perroquet empaillé, un ara du Brésil d'après l'étiquette collée sur le perchoir. L'oiseau, au bec acéré, narguait les visiteurs.

Dans la bibliothèque en acajou, uniquement des revues de mode. Higgins en compulsa quelques-unes. Elles dataient toutes des deux derniers mois. Puis il inspecta le bureau où il ne découvrit que du papier blanc et des enveloppes.

L'ex-inspecteur-chef passa dans la chambre où le cadavre avait été découvert. Une porte la séparait du salon. Le lit était dévasté. Higgins regarda avec attention la couverture de laine et les draps. Il fut intrigué par l'oreiller sur lequel il se concentra longuement.

– Il y a un cheveu, déclara-t-il. Ma vue est encore assez bonne pour le déceler.

L'ex-inspecteur-chef mettait un point d'honneur à ne pas porter de lunettes. Une coquetterie datant d'une lointaine époque où, alors qu'il résidait en Orient. une femme lui avait déclaré qu'il avait les plus beaux yeux du monde. Il n'avait pas eu la faiblesse de la croire, mais il se savait posséder un regard suffisamment perçant pour ne pas laisser échapper trop d'indices.

— Il appartient sans doute à la jeune fille, estima Scott Marlow.

— Sans doute. Mais peut-être pas... vous transmettrez cet objet au Yard, superintendant et vous ferez analyser le cheveu. Je veux savoir avec certitude de quelle tête il provient.

Dédaignant courageusement son arthrite, Higgins s'agenouilla et se pencha pour regarder sous le lit. Il ne regretta pas son effort.

— Déplaçons ensemble le lit, mon cher Marlow. Un indice intéressant nous attend.

Ainsi fut fait. Apparurent des fragments de soutien-gorge et de slip qui avaient été soigneusement découpés au ciseau. Il y en avait plus d'une centaine, la plupart minuscules.

— Qu'est-ce que cela signifie, Higgins? On jurerait un rituel satanique ou quelque horreur de ce genre!

— Ce n'est pas impossible... vous ferez venir un photographe. Il me faut un cliché qui nous permettra d'étudier à loisir la position exacte de ces morceaux de sous-vêtements. Ensuite, vous les ferez également analyser par le laboratoire. On ne sait jamais.

L'ex-inspecteur-chef, au cours de sa carrière, avait noté que la police omettait souvent de regarder sous les meubles où, pourtant, des souvenirs s'accumulaient à l'insu de leurs propriétaires. De là à dire que Cecilia Ambroswell s'était livrée elle-même à cet étrange jeu de découpage, il y avait un pas immense que rien ne permettait encore de franchir.

Dans la chambre nue, aux murs crépis a la chaux et dépourvus de tout ornement, le seul agrément était un petit meuble d'une rare beauté, en placage d'amarante et de bois de rose, cou-

ronné d'une galerie de bronze. Il comportait deux
tiroirs et était fermé par un panneau coulissant.

— Un bonheur-du-jour, indiqua Higgins.

— Pardon?

— C'est le nom de ce meuble de grande valeur,
mon cher Marlow. Celui-ci est sans nul doute dû
au talent de Pierre Boichot, maître-ébéniste du
XVIIIᵉ siècle.

Higgins ne tarda pas à découvrir les initiales de
l'artisan délicatement gravées dans le bois, mais
ne parvint pas à ouvrir les tiroirs et à faire
coulisser le panneau. Il se tâta le menton, intrigué.

— Il faut le forcer, exigea Scott Marlow. Nous
devons savoir ce qu'il contient.

— Vous ne songeriez pas à abîmer ce petit
chef-d'œuvre?

Le superintendant se détourna, vexé.

— Il y a forcément un autre moyen, affirma
Higgins, malicieux. Un bonheur-du-jour est rempli de secrets... Les élégantes l'avaient adopté
pour y cacher lettres et documents. Je suppose
que Miss Cecilia n'a pas agi autrement.

L'ex-inspecteur-chef s'accroupit et passa la
paume de la main droite sur la partie arrière du
meuble.

— Voilà, dit-il, sentant une saillie à peine proé-
minente sur laquelle il appuya.

Elle s'enfonça sans le moindre bruit. Les tiroirs,
mus par un mécanisme interne, s'ouvrirent d'eux-
mêmes et débloquèrent le panneau coulissant.
Scott Marlow se demanda si son collègue n'était
pas devenu magicien.

— Je connais bien ce type de meuble, expliqua
Higgins. J'en ai monté et démonté des dizaines.
Nous avions des instructeurs au Yard, qui ne
plaisantaient pas sur l'apprentissage de ces techni-
ques-là. Voilà ce qu'un ordinateur ne pourra
jamais faire, mon cher Marlow.

Le superintendant n'engagea pas la bataille sur

ce point. Il reconnaissait que Higgins était un enquêteur hors du commun, mais n'admettait pas son refus du progrès. Un jour viendrait où il lui dirait vraiment ce qu'il pensait de cette attitude rétrograde.

Au premier coup d'œil, Scott Marlow fut très déçu. Les tiroirs du bonheur-du-jour semblaient vides. Mais Higgins, plongeant la main au fond de celui de droite, en retira une épingle de cravate en or décorée d'un pélican en relief.

— Travail admirable, jugea-t-il. Une pièce unique. A nous de découvrir son propriétaire. Je suppose qu'il doit beaucoup le regretter...

— Et s'il appartenait à Cecilia Ambroswell? Les étudiantes ne portent-elles pas des cravates, comme les garçons?

— Exact, superintendant. L'objet est assez précieux pour lui avoir plu. Si elle l'a effectivement porté, ses proches ont dû le remarquer.

Le superintendant, qui croyait bien connaître Higgins, osa une hypothèse.

— Et si le propriétaire de cette épingle de cravate était l'assassin?

— N'avançons pas trop vite, mon cher Marlow... mais votre idée me paraît des plus intéressantes... Pour le moment, continuons à fouiller. Cet endroit contient sûrement de nombreuses réponses aux questions que nous nous posons déjà et à celles que nous nous poserons bientôt.

Les deux policiers passèrent plus de deux heures dans la chambre de Cecilia Ambroswell, au terme desquelles Higgins s'assit et demeura immobile face au portrait de la jeune morte.

Il apprit ainsi à mieux la connaître, à ressentir les émotions et les passions que traduisait son regard. Elle devint pour lui un être réel, de chair et de sang, une personnalité troublante qui n'avait pas encore définitivement quitté le monde des vivants.

Scott Marlow, qui bouillait d'impatience devant

le travail à accomplir, demanda à Higgins l'autorisation de s'absenter pour trouver un téléphone et passer des consignes précises au Yard.

— Faites donc, superintendant, et revenez me chercher ici.

Higgins resta une bonne heure en tête-à-tête avec la morte, entamant un dialogue muet mais confiant. Il lui sembla qu'il réussissait peu à peu à l'apprivoiser, qu'elle acceptait d'être moins hautaine, moins farouche, de lui ouvrir un peu son cœur.

Quand son collègue fut de retour, Higgins avait acquis au moins une certitude : Cecilia Ambroswell n'était pas une victime ordinaire.

— Etrange, murmura-t-il, vraiment étrange.

— Qu'est-ce qui vous étonne, Higgins?

— Tout. Ce meurtre n'a pas plus de sens que les indices qui l'entourent. Mon cher Marlow, le diable nous tend un piège.

CHAPITRE 6

Scott Marlow indiqua fièrement à Higgins que le Yard fonctionnait à plein régime. On avait sonné le branle-bas de combat pour avancer au plus vite dans l'affaire Cecilia Ambroswell. Les résultats de l'autopsie et des analyses seraient rapides.

Malgré le mauvais temps, les deux policiers se dirigeaient vers Clare College en longeant la Cam. Higgins avait dans sa poche la clé avec laquelle il avait soigneusement refermé la porte de la chambre de la jeune morte. Passant derrière Trinity College et Trinity Hall, il retrouva d'anciennes sensations, le bruit mouillé des chaussures s'enfonçant dans un sol humide, le chant de la rivière, la solitude du promeneur admirant les pierres ruisselantes.

Clare College, créé en 1326, avait été entièrement reconstruit en 1638. Ses pensionnaires étaient particulièrement fiers de sa grille d'entrée, de son allée tracée entre des massifs de lavande, de son porche caractéristique du XVIIᵉ anglais, de sa cour intérieure avec des pelouses au carré et de ses trois étages couronnés de tourelles qui abritaient bibliothèque, salles de cours et chambres. Juste devant le *Clare Bridge*, petit pont jeté sur la rivière, un gigantesque hêtre pourpre abritait de son puissant feuillage un vieil homme endormi, un chapeau noir rabattu sur les yeux et une bouteille de whisky vide gisant sur l'herbe, près de sa main gauche.

Higgins toussota.

En vain.

Il recommença, de manière plus appuyée, Scott Marlow se joignant à lui.

L'homme demeura inerte. L'ex-inspecteur-chef fut obligé d'employer les grands moyens. Il demanda à Scott Marlow de secouer le dormeur.

Ce dernier s'éveilla enfin, soulevant son chapeau.

— Qui êtes-vous?

— Higgins, de Scotland Yard. Je vous présente le superintendant Marlow. Monsieur Duke, je présume?

— Ouais... Vous venez pour la petite Cecilia?

— On ne peut rien vous cacher, monsieur Duke. Pourriez-vous nous conduire jusqu'à votre atelier? Nous y serions plus à l'aise pour discuter.

— Discuter, discuter... j'ai pas que ça à faire. J'ai du travail qui m'attend, moi...

— Je crains que dans les circonstances présentes, insista Higgins, un entretien ne soit néanmoins tout à fait indispensable.

— Si vous y tenez...

Duke se déplia avec peine, ramassant au passage la bouteille vide. Réussissant à se mettre debout, il avança en tanguant. Son chandail était troué et son pantalon de toile ne valait guère mieux. Chaussé de sabots d'où sortaient des brins de paille, il marcha à son rythme.

— Vous la connaissiez, Cecilia?

— Seulement depuis quelques heures, répondit Higgins.

— Comment? s'étrangla Duke. Mais elle est morte...

— Ne vous fiez pas aux apparences, mon ami.

Duke regarda Higgins comme s'il était une

créature de l'autre monde. Il réfléchit intensément, puis éclata de rire.

— Vous avez vu sa photo, c'est ça? Quelle folie... Enfin, elle était comme ça, Cecilia. Vous feriez mieux d'oublier tout ça, comme moi, et de laisser Cambridge en paix.

Duke n'avait jamais aimé les policiers. Des empêcheurs de tourner en rond qui passaient leur temps à venir fouiner dans les affaires d'autrui. Il accepta néanmoins de conduire ces deux-là jusqu'à son antre, un vaste atelier situé à l'arrière du collège, au rez-de-chaussée, et rempli d'un incroyable bric-à-brac. Il y avait là des dizaines d'outils, un grand établi, une meule, une forge, des avirons et des carcasses de bateau. On avait le sentiment que, si l'on déplaçait le moindre objet, tout allait s'écrouler.

— Je répare tout, ici... Dès qu'il y a quelque chose de cassé, on fait appel à moi... Duke par ci, Duke par là, et tout ça pour un salaire de misère... Enfin, c'est comme ça et personne n'y changera rien... alors, je continue à réparer.

Duke, petit homme noir de peau au nez bourgeonnant, était trapu et musclé. On remarquait aussitôt ses doigts épais et ses mains disproportionnées, probablement dotées d'une force herculéenne acquise au travail. Il cherchait ses mots, comme quelqu'un peu habitué à parler. Pour se rassurer, il s'empara d'une mailloche.

— C'est dans votre atelier, indiqua le superintendant, qu'a été volée l'arme du crime, une rame cassée en deux. Qu'avez-vous à déclarer sur ce point?

— Rien du tout. Quand la rame était chez moi, elle n'était pas cassée en deux. Elle avait une fissure suspecte, d'accord, mais j'étais certain de réussir à la réparer. Des rames, j'en ai retapé des dizaines... Quand elles étaient passées entre les mains de Duke elles repartaient pour une nouvelle jeunesse. Le bois, c'est mon domaine. Personne ne

le connaît aussi bien que moi. Mais cette rame-là,
j'ai pas eu le temps de l'ausculter. On me l'a
volée...

— Est-il facile de pénétrer ici?

— Mon atelier n'est jamais fermé. Il n'y a que
des intellectuels, à Cambridge. Aucun d'entre eux
ne sait manier un marteau ou une scie. Si par
miracle ça se produisait, personne ne s'abaisserait
à le montrer. Alors, pourquoi je fermerais à clé?

— Depuis quand travaillez-vous ici? demanda
Higgins qui n'avait pas connu Duke pendant qu'il
était étudiant.

— Vingt ans. C'est Sir Caius qui m'a installé
quand il a obtenu son poste. Depuis, on n'a pas
échangé dix mots. Son obsession, c'est la course
d'aviron contre Oxford. A moi de préparer notre
bateau. Sir Caius organise tous les essais et vérifie
lui-même. Je préfère ça, notez. Quand nous perdons, ça ne me retombe pas dessus.

Sans être un génie du bricolage, Higgins n'était
pas dépourvu de dons manuels. Aussi appréciait-il
la variété et la qualité des outils rassemblés par
Duke qui, malgré le désordre régnant dans son
petit royaume, disposait d'un équipement digne
d'un professionnel.

— Comment jugez-vous Sir Caius?

Duke se renfrogna, serrant davantage sa mailloche.

— On ne juge pas Sir Caius. C'est le patron. Il
commande et on exécute.

— D'après vous, à quel moment le vol a-t-il eu
lieu?

— Aucune idée. Impossible à savoir. Pas mon
problème.

— Vous êtes bien imprécis, monsieur Duke.
attaqua Higgins. Quand cette rame vous a-t-elle
été confiée et par qui?

L'artisan prit du temps pour répondre. comme
s'il choisissait entre plusieurs solutions.

— Une semaine environ, par Sir Caius lui-même... La rame appartenait à un équipage gagnant. Elle était donc devenue une sorte de fétiche... La réparer s'avérait impératif. Quelle misère de l'avoir cassée en deux!

— Misère plus grave encore de l'avoir transformée en arme de mort, ne trouvez-vous pas?

Duke regarda Higgins par en dessous.

— Vous insinuez quoi?

L'ex-inspecteur-chef souleva des pinces posées sur des tenailles dont un bon nombre étaient rouillées. L'échafaudage précaire tint bon. Il était évident que l'on pouvait cacher n'importe quoi dans ce capharnaüm dont l'inventaire aurait réclamé un nombre incalculable de jours de travail.

— Connaissiez-vous bien la victime, Cecilia Ambroswell?

— Comme tout le monde... Difficile de ne pas la voir déambuler sur les pelouses ou alors, fallait se boucher les yeux! Une vraie vedette, trop belle, trop prétentieuse.

— Vous ne l'aimiez pas beaucoup, à ce qu'il semble! intervint Scott Marlow.

— Une vraie garce, voilà ce qu'elle était! Vous pouvez en croire le vieux Duke! Il a vu défiler des centaines d'étudiantes, des belles, des laides, des gentilles, des agressives, des nerveuses, mais celle-là... c'était un exemplaire unique. Elle passait son temps à aguicher les garçons. Et provocante, avec ça...

— Je croyais qu'elle était fiancée, observa Higgins.

Duke fit de nouveau entendre son rire sonore.

— Vous voulez parler du petit noble, le grand Herbert? Le fiancé qu'elle traînait partout comme un chien?

— Ce doit être lui, en effet, avança prudemment Higgins.

— Jamais vu un molasson pareil, dit Duke, presque en colère. Incapable de se remuer. S'il n'avait pas bénéficié de protections haut placées, il aurait été expulsé de Cambridge un mois après son entrée. Rien d'un vrai Anglais, rien de rien...

« Normal pour un comte allemand », estima Higgins qui voyait se dessiner les portraits des protagonistes du drame à travers les descriptions de Duke. Mais jusqu'à quel point pouvait-on lui faire confiance?

— Connaissez-vous cet objet, monsieur Duke? interrogea l'ex-inspecteur-chef, montrant l'épingle de cravate en or.

— Où avez-vous trouvé ça?

Surpris, l'artisan avait lâché la mailloche.

— Répondez à ma question, exigea Higgins d'un ton à la fois ferme et paternel.

— Jamais vu...

— Vous en êtes bien sûr?

— Sûr de sûr. Un bijou pareil, ça ne s'oublierait pas. Jamais vu ici.

— Il n'appartient donc pas à Herbert von Wigelstein?

— Puisque je vous dis que j'ai jamais vu ça...

Scott Marlow eut une inspiration subite.

— Le comte Herbert fait-il de l'aviron?

— Oui. Aussi mal que possible. Il est grand et bien bâti. Il se croit très fort. Mais ça ne suffit pas. Il n'a aucun rythme, aucune énergie. On devrait pas le garder dans l'équipe.

— Miss Cecilia aimait-elle le sport? demanda Higgins.

— Elle aimait rien, ni personne... Vous voulez que je vous raconte? Un matin du printemps dernier, elle est arrivée ici, complètement ivre. Elle m'a tiré du lit... une vraie furie! Elle a exigé que je lui mette un petit canoë à l'eau pour pouvoir s'entraîner. Elle prétendait gagner la course contre Oxford à elle toute seule! J'ai eu envie de lui donner une bonne claque sur les fesses, mais elle m'a menacé avec une barre de fer et elle m'aurait sûrement assommé si je n'avais pas obéi. Soyez raisonnable, miss Cecilia, ai-je supplié. Mon canoë, a-t-elle ordonné, ou je mets le feu à votre atelier et au collège. J'ai cédé. Qu'est-ce que vous auriez fait à ma place?

— La question n'est pas là, rétorqua sèchement Scott Marlow. Y a-t-il eu des témoins à cette scène?

— A cette heure-là, y' avait pas de risque.

Les recoins de l'atelier de Duke battaient des records de crasse. Des piles de vieux chiffons devaient être entassées là depuis de nombreuses années.

— Où dormez-vous? demanda Higgins.

— Par là, indiqua Duke, déplaçant une lourde caisse remplie de clous de toute dimension et dévoilant un matelas qui n'avait jamais vu l'air.

— Connaissiez-vous les proches de Cecilia Ambroswell?

— Je me mêle pas aux imbécillités d'étudiantes, grommela Duke. Avec son groupe de filles, elles faisaient bien assez de tapage... Sir Caius a même dû les rappeler à l'ordre.

— Cecilia était la meneuse, bien entendu...

— Ça dépendait. Il y avait aussi la petite Henrietta, la chanteuse. Une sacrée vitalité! Aussi folle que sa copine... Les deux autres, Olivia et Jennifer, elles se laissaient plutôt entraîner. Jennifer, je peux comprendre... Vingt ans et des mathématiques toute la journée, on peut avoir envie de se distraire... Mais l'autre, la Olivia, qui se prend pour la huitième merveille du monde, pourquoi elle se collait à ces jeunesses? Vous pourriez me le dire?

— Pas encore, reconnut Higgins, mais il ne faut pas désespérer. Aviez-vous l'occasion de parler avec ces personnes?

— Jamais. Elles me méprisaient. Vous pensez, le vieux Duke... Il n'a pas d'éducation, il est sale, il boit trop, il fait peur aux filles... seulement, quand il y avait quelque chose à réparer, on manquait pas de lui envoyer un larbin.

— John Garret?

— Lui-même. Vous l'avez déjà vu?

— Pas encore, monsieur Duke.

— Eh bien, vous serez pas déçu! Une vraie tête d'assassin... Jamais connu pareil faux jeton. Il traîne partout, avec un livre à la main. Il fait croire qu'il étudie. Pensez-vous! On trompe pas comme ça le vieux Duke. Et si l'on m'apprenait qu'il a trempé dans l'assassinat de Cecilia, j'en serais pas surpris.

— Quel aurait été son mobile?

Duke sourit, découvrant une rangée de dents gâtées.

— La haine, inspecteur, la haine! Cecilia le traitait comme le minable qu'il était. Elle le traînait plus bas que terre. Elle l'obligeait à porter ses bouquins et à marcher derrière elle. Elle lui faisait faire toutes ses courses. Quand ça lui chantait, elle ne lui adressait même plus la parole. A Garret de deviner ses intentions. Aucun homme ne résiste longtemps à un régime comme celui-là. Ou il se suicide ou il tue.

Higgins s'était habitué au désordre de l'atelier. Ses yeux furetaient partout. Mais rien de réellement insolite n'avait accroché son regard.

— Vous est-il arrivé d'empailler des animaux?

— Moi? s'étonna Duke. Non, pourquoi?

— En existe-t-il dans les chambres des étudiants?

— Comment voulez-vous que je sache...

— Pour effectuer vos réparations, il faut bien que vous y pénétriez. Existe-t-il une procédure administrative?

— Ouais, si on veut... Normalement, il me faudrait un papier signé par Sir Caius. Mais il a autre chose à faire que de perdre son temps en paperasses et moi aussi... L'étudiant vient me voir directement, je prends ma trousse à outils et je répare

sur place. Quand il y a trop de travail, ils atten-
dent leur tour. Ça se passe en famille.

— Et personne, ici, ne possède d'animaux
empaillés?

— Jamais entendu parler de ça.

Tout en écoutant attentivement les réponses de
Duke, Higgins prenait des notes sur son carnet
noir. L'écriture, fine et précise, courait sur les
pages blanches. Scott Marlow tenta vainement, à
plusieurs reprises, de lire par-dessus l'épaule de
son collègue.

— Où vous trouviez-vous le soir du crime?
demanda-t-il à l'artisan.

— Ben... ici.

— Vous dormiez?

— Ben... oui. La nuit, moi, je dors. J'ai pas le
temps de faire la fête.

— Disposez-vous d'un témoin susceptible de
corroborer vos dires?

Duke s'empara d'un tournevis et marcha vers le
superintendant, l'œil mauvais.

— Vous êtes malade, ou quoi? Vous croyez que
j'amène des filles ici?

— Je vous prie de vous calmer, intervint Higgins. N'oubliez pas à qui vous parlez.

La tension retomba aussitôt. Duke posa l'outil
et alla s'asseoir contre la coque d'un bateau.

— Ça va comme ça. Le vieux Duke sait bien des
choses sur beaucoup de gens. Mais faut savoir le
prendre. Alors, maintenant, décampez! J'ai sommeil.

Scott Marlow était sur le point de sortir les
menottes qu'il avait constamment dans l'une de
ses poches, mais un regard furtif de Higgins le
retint d'agir.

— Parfait, dit ce dernier, aimable. Merci de
votre collaboration, monsieur Duke. Nous revien-
drons vous voir.

Un grognement sonore répondit à l'homme du
Yard.

**
*

En moins d'une heure, la température avait chuté d'au moins cinq degrés. La pluie s'était calmée. Elle tombait maintenant de manière régulière, abreuvant les pelouses des collèges qui attendaient depuis trois jours cette manne. Un gris uniforme avait empli le ciel. Higgins respirait mieux. Il retrouvait le climat normal du Cambridge éternel.

— Pourquoi ne pas l'avoir arrêté? se plaignit le superintendant. Ce type-là est plus que suspect!

— Sur quoi étayez-vous votre analyse, mon cher Marlow?

— Voyons, Higgins, ça saute aux yeux! Il voit tout, il sait tout, il entre partout! Cet homme-là est soit le témoin du meurtre, soit un complice du meurtrier, soit le meurtrier lui-même!

Higgins avait une grande estime professionnelle pour le superintendant. Il le considérait comme un policier sérieux, appliqué, plaçant son travail au premier rang de ses préoccupations. Il était rare qu'il se laissât ainsi aller à une intuition première.

— Je ne vous cache pas que votre conviction est assez séduisante, mon cher Marlow. Mais ne manquerions-nous pas d'éléments pour être certains de ne pas commettre d'erreurs? Si Duke est complice, pour prendre cette hypothèse-là, il ne faut pas l'effrayer. Peut-être nous conduira-t-il de lui-même à l'assassin. S'il a tué lui-même, il ne peut nous échapper.

— Je le crois très retors, affirma Scott Marlow. Sous ses airs frustres et son langage malhabile, c'est un redoutable calculateur. Il prend le temps de peser ses mots pour ne rien laisser échapper de compromettant.

— Sur ce point, indiqua Higgins, il s'est trompé, car...

L'ex-inspecteur-chef n'eut pas le temps de finir sa phrase. Son œil exercé venait de repérer une silhouette courant à toutes jambes le long de la Cam et franchissant un muret d'un bond fort appréciable pour se diriger vers St. John's College.

« Parfait, pensa-t-il. C'est justement là que je souhaitais retourner. »

CHAPITRE 7

— Nous reprenons nos valises? interrogea Scott Marlow en pénétrant à nouveau dans les bâtiments de St. John's College.

— Pas encore, répondit Higgins. Nous allons interroger l'homme qui a découvert le crime.

Ils trouvèrent sans trop de peine un tableau comportant une dizaine de noms, parmi lesquels celui de John Garret. L'aile où se trouvait sa chambre, sise au premier étage, était sombre et très austère.

Sur la porte, la mention *out*.

— L'oiseau n'est pas au nid, Higgins. Il nous faudra revenir.

— Je suis persuadé du contraire, superintendant. L'instant est venu d'user de toute votre autorité.

Scott Marlow quêta un regard approbateur de son collègue. L'ayant obtenu, il s'exécuta.

— Scotland Yard, annonça-t-il d'une voix forte. Ouvrez immédiatement, ou je fais enfoncer la porte!

Le bruit mat d'un gros ouvrage tombant sur le parquet. Puis, plus rien.

— Nous savons que vous êtes chez vous, poursuivit le superintendant. Vous vous exposez à une peine sévère pour refus de témoigner.

Des pas précipités. La clé qui tourne dans la serrure. La porte qui s'entrebâille. Le visage affolé d'un jeune homme, les cheveux ébouriffés.

— Que... que voulez-vous?

— Vous interroger, monsieur Garret, dit Higgins avec douceur. Ne vous seriez-vous pas trompé en mettant l'écriteau *out*?

— Si... si, sûrement... je suis parfois un peu distrait...

— Comme tout un chacun, admit l'ex-inspecteur-chef qui inversa la petite plaque de bois pour faire apparaître la mention *in*.

— J'espère que nous ne vous dérangeons pas. Vous n'attendez pas d'autre visite?

— Non, non... jamais... je prépare mes examens.

Scott Marlow fronça les sourcils.

— Nous sommes en période de vacances... Les examens sont terminés!

— Je veux parler de ceux de l'année prochaine... Si l'on prend le moindre retard, c'est l'échec assuré.

— Peut-être pourrions-nous, le superintendant Marlow et moi-même poursuivre plus avantageusement cette conversation à l'intérieur? suggéra Higgins.

— Bien sûr, inspecteur... entrez donc...

La chambre de John Garret était un peu plus austère qu'une cellule de moine dépourvue de tout superflu. Un lit reposant sur un sommier métallique, une chaise en bois brut, une minuscule table branlante, une bougie, une bibliothèque de fortune en planches mal équarries surchargées de livres.

— Vous ne disposez pas de l'électricité? s'étonna Scott Marlow.

— Elle n'est pas encore installée dans cette aile-là... cela rend les chambres plus accessibles. Et s'éclairer à la bougie n'a rien de désagréable. C'est une aide puissante pour se concentrer sur un texte.

Higgins jeta un œil sur l'ouvrage qu'était en train d'étudier John Garret. Le second tome d'un énorme traité de biologie cellulaire. Le premier se trouvait encore sur le plancher où il l'avait fait tomber lorsque le superintendant avait frappé à la porte. Le jeune homme s'empressa de le ramasser et de le ranger tant bien que mal sur une étagère trop pleine.

— Où en êtes-vous de vos études? s'enquit Higgins.

— J'ai passé mes premiers *degrees*. L'an prochain, j'espère être *bachelor of Science*. Ensuite, je deviendrai *graduate*. Puis ce sera la recherche et l'enseignement ici, à Cambridge. Si Dieu m'est favorable, je ne quitterai pas mon collège.

— Toute une vie à Cambridge? s'inquiéta le superintendant.

— Il n'y a pas de plus belle destinée, affirma l'étudiant, l'air farouche. C'est ici qu'ont grandi les professeurs, les poètes, les écrivains, les savants, les théologiens, les hommes d'Etat, les juristes et les soldats qui ont fait honneur à notre pays.

John Garret s'était enflammé en se lançant dans cette tirade. Il s'était dressé sur ses talons, comme un coq sur ses ergots.

— Vous devriez vous sécher les cheveux et changer de chaussures, monsieur Garret, conseilla Higgins. Après avoir couru sous la pluie, vous risquez de prendre froid. Il n'y a rien de pire qu'un rhume de cerveau pour vous brouiller la vue et vous empêcher de travailler. La lecture elle-même devient un supplice.

L'étudiant rougit jusqu'aux oreilles.

Scott Marlow réagit immédiatement, saisissant la perche que lui tendait son collègue.

— Pourquoi vous êtes-vous enfui? Vous nous espionniez? Vous saviez que nous nous trouvions chez le vieux Duke?

Terrorisé, John Garret recula, heurtant son bureau. Son visage parsemé de taches de rousseur était livide.

– Mais... mais... pourquoi m'accuser ainsi? Je n'ai rien fait, rien du tout! Je courais sous la pluie pour revenir chez moi, rien de plus! Je déteste être mouillé...

Scott Marlow aurait aimé poursuivre son avantage, mais la réponse de John Garret était plausible. Higgins vola au secours de son collègue.

– C'est bien vous qui avez découvert le cadavre de Cecilia Ambroswell?

Le jeune homme baissa les yeux et s'assit.

– Oui.

– Comment cela s'est-il passé?

– Cecilia... je veux dire Miss Ambroswell avait donné une *party*. A trois heures du matin...

– Vous êtes sûr de l'heure? le coupa Scott Marlow.

– Non. J'avais... un peu bu. A aucun moment, je n'ai songé à regarder ma montre.

– Pourquoi cette précision, en ce cas?

– Quand tous les invités sont partis ensemble, j'ai entendu l'un d'eux dire « il est trois heures »... c'était le comte von Wigelstein, je crois...

– Vous croyez ou vous en êtes certain?

L'étudiant mit la tête dans ses mains. Il paraissait épuisé.

– Absolument certain, non,... marmonna-t-il.

– Qui est parti le premier? interrogea Higgins.

– Miss Ambroswell a déclaré qu'elle était fatiguée. Elle nous a fait sortir tous ensemble de sa chambre. Olivia Parker aurait souhaité rester plus longtemps, mais Miss Ambroswell a refusé.

– Pourquoi Olivia Parker formulait-elle cette demande?

– Je l'ignore... je ne suis même pas tout à fait certain que ce fût elle... c'était peut-être Jennifer Storey ou Henrietta Siwell.

Scott Marlow commençait à être excédé par l'imprécision de ce témoignage qui n'avantageait pas son auteur. Néanmoins, il laissa Higgins continuer l'interrogatoire.

– Ensuite, vous vous êtes séparés?

– Oui... nous étions tous très éméchés. Chacun a annoncé son intention de regagner sa chambre et de faire la grasse matinée. Moi, je souffrais d'une telle migraine que j'ai préféré me promener un peu. L'air m'a fait du bien. Soudain, j'ai constaté que j'avais oublié mon carnet de notes. Un instrument de travail indispensable. Le perdre aurait été une catastrophe. Presque de quoi ruiner mes études. Je suis retourné chez Miss Cecilia. Et je l'ai trouvée, morte, le crâne défoncé, du sang sur les cheveux...

John Garret était profondément ébranlé par son propre récit. Il retint ses larmes avec peine.

– Avez-vous touché au corps?

L'étudiant releva la tête, outré.

– Comment osez-vous supposer?

– Et ce fameux carnet, monsieur Garret? Avez-vous eu la présence d'esprit de le récupérer?

Le jeune homme fut affreusement gêné. Il ne put soutenir le regard de Higgins.

– Oui. Il faut me comprendre, inspecteur... Sans lui, ma carrière était brisée.

– Où l'aviez-vous posé?

– Sur le petit meuble de la chambre de Miss Ambroswell, le bonheur-du-jour.

– Elle vous laissait donc pénétrer dans sa chambre?

Une brève panique passa dans les yeux affolés de John Garret.

– Non, bien sûr que non... Mais ce soir-là, nous occupions tout son appartement à cause de la *party*. Quelqu'un m'a demandé, au hasard de la conversation, comment je prenais des notes... Alors, j'ai montré ce carnet et je l'ai sottement oublié.

– Qui vous a interrogé sur votre méthode de travail?

– Herbert von Wigelstein... non, c'était plutôt Jennifer Storey, la mathématicienne.

– Etiez-vous assez ivre pour ne point les distin-
guer l'un de l'autre?

– J'étais éméché, je vous l'ai avoué, et dans le
feu de la soirée... de tels détails deviennent secondaires et ne se sont pas gravés dans ma
mémoire.

Scott Marlow tâta ses menottes. Le récit du
jeune homme était de plus en plus incohérent.
Pour un scientifique, cette absence de précision
était des plus surprenantes, voire des plus suspectes.

– Comment s'est déroulée cette *party*? interrogea Higgins.

– De la manière la plus banale, inspecteur...
Boire, plaisanter, échanger des souvenirs universitaires... rien de bien passionnant.

Higgins sourit.

– Pourquoi Miss Ambroswell avait-elle acquis
un perroquet empaillé?

John Garret était ébahi...

– Un perroquet empaillé? Vous vous moquez
de moi?

– Pas du tout, monsieur Garret. Cet objet vous
est donc inconnu?

– Tout à fait! Il n'y a jamais eu de perroquet
empaillé chez Miss Ambroswell!

– Connaissez-vous ce bijou?

Higgins montra l'épingle de cravate en or.

John Garret se concentra.

– Oui et non... Il me semble l'avoir déjà vu
quelque part, mais je ne saurais vous dire où...

Scott Marlow éprouvait une furieuse envie d'arrêter le biologiste et de l'interroger vingt-quatre
sur vingt-quatre sous les lumières implacables
d'un projecteur. Il serait bien obligé de retrouver
la mémoire.

Higgins eut un bon sourire et s'assit sur le lit de
l'étudiant.

– A présent que nous nous connaissons un peu
mieux, monsieur Garret, nous allons parler sérieu-

sement. Vous étiez le *scout* de Cecilia Ambroswell, son serviteur fidèle et dévoué. Elle ne vous ménageait pas. Vous n'avez aucune fortune. Pourquoi avez-vous été invité à une *party* ne réunissant que des riches?

Le regard de John Garret se durcit.

— Seule ma patronne connaissait la réponse, inspecteur. J'étais son serviteur, en effet, et même son esclave. Mais je l'avais admis. Grâce à elle, je pouvais avoir une chambre a Cambridge et poursuivre mes études. Cela valait la peine d'accepter quelques sacrifices.

— Merci de cette franchise... mais ne jugiez-vous pas vous-même votre présence... un peu déplacée, ce soir-là?

— La fortune n'est pas tout, inspecteur. Ici, nous sommes à Cambridge. Ce qui compte, c'est la qualité scientifique de chaque pensionnaire. Demain, je serai un des éléments les plus brillants du *Department of Management Science* et de l'*Imperial College of Science and Technology*. Même si la biologie est ma spécialité, je m'initie à d'autres branches scientifiques. Je veux faire honneur à Cambridge et j'y parviendrai.

Du coin de l'œil, l'ex-inspecteur-chef déchiffrait les titres des volumes amassés par l'étudiant. Médecine, chimie, physique, mathématiques, biologie... de fait, il n'y avait pas la plus petite place pour la poésie.

— Insinueriez-vous, monsieur Garret, que les autres invités de la *party* avaient un niveau scientifique médiocre?

— Jennifer Storey est une très grande mathématicienne. Je n'ai rien de plus à dire.

— Vous entendiez-vous bien avec Miss Siwell?

— Ni bien ni mal. De simples rapports de politesse.

— Si je ne me trompe, votre dédain enveloppe le comte von Wigelstein, Olivia Parker et Henrietta Siwell.

— Non, inspecteur. Il ne faut pas tout mélanger. Olivia Parker est la bibliothécaire la plus titrée et la plus enviée de Cambridge. Quant à Henrietta, c'est une artiste. Elle fait un peu de sociologie, mais sa passion est ailleurs.

— Il ne reste donc que le comte Herbert von Wigelstein...

— Je n'ai aucune estime pour les littéraires, précisa John Garret. Leurs recherches sont perpétuellement sujettes à caution et manquent de rigueur. De plus, aux examens, on laisse aux professeurs une trop grande marge d'appréciation personnelle...

— Autrement dit, les diplômes obtenus par le comte sont dus autant à sa célébrité et à sa fortune qu'à son savoir?

L'étudiant regarda fixement l'homme du Yard.

— Selon moi, oui. Et je considère cette situation scandaleuse.

— En avez-vous fait part à votre directeur de collège ou à Sir Caius?

— Pour le moment, inspecteur, je suis un *scout*, rien de plus. Je dois travailler, me taire, et travailler encore. Rien de plus...

Sous l'apparente fragilité du jeune homme, Scott Marlow découvrait une redoutable force de caractère, doublée d'une ambition forcenée.

— Faites-vous de l'aviron? interrogea le superintendant.

— Je déteste cette activité ridicule. Elle fait partie de traditions romantiques que j'aimerais voir disparaître. Le sport est une dégradation de l'être humain.

— Lorsque vous avez eu besoin d'une petite réparation, avança Higgins, vous avez bien fait appel au vieux Duke?

— Pour miss Cecilia, oui. Pour moi-même, non. Je sais planter un clou, graisser une serrure et réparer un pied de chaise. A la maison, nous n'avions pas les moyens de faire autrement. J'ai appris à travailler de mes mains et je ne le regrette pas. C'est pourquoi je suis un bon *scout*. Cela ne me gênait pas de me lever à 6 heures du matin, de laver le linge de ma patronne, de faire son lit, de porter ses livres. J'ai vécu dans des circonstances bien plus pénibles. Et ce n'était qu'une étape.

— Vous laviez le linge de Miss Cecilia, dites-vous... y compris ses sous-vêtements?

— Bien entendu. C'est la règle, pour un *scout*.

— Auriez-vous constaté, récemment, la disparition de l'un de ses soutiens-gorge et d'un slip?

— Elle en avait des dizaines... Chaque semaine, elle renouvelait entièrement sa garde-robe. Elle étalait ses vêtements partout, ayant horreur des armoires. Le soir de la *party*, il n'y avait plus rien. Elle avait tout fait emballer, comptant partir le lendemain en vacances.

— Et vous ne la suiviez pas?

— Vous plaisantez, inspecteur! Je suis domestique ici, à Cambridge, pas valet de pied! Moi, je ne quitterai jamais Cambridge. J'y vis et j'y respire.

Higgins se leva, examinant de nouveau la bibliothèque. John Garret le suivait du regard.

— Pardonnez-moi cette indiscrétion, monsieur Garret... Etes-vous fiancé?

— Non, inspecteur, et je ne suis pas décidé à l'être de sitôt. Mes études avant tout.

— Quel était le niveau d'études de Cecilia Ambroswell?

— Je n'en sais trop rien. Elle était sociologue et historienne. Des domaines qui me sont étrangers.

— On la disait frivole, légère, aguichante, démonstrative, indiqua Higgins. Est-ce votre avis?

— En quoi pourrait-il vous intéresser?

— En tant que témoignage, insista Higgins, plus sévère.

John Garret eut froid dans le dos. Il se rendit compte que cet inspecteur aimable, presque paternel, ne devait pas lâcher facilement sa proie.

— Cecilia Ambroswell, énonça l'étudiant pour lui-même, Cecilia Ambroswell... Qui pourrait se vanter de la connaître? Elle était très belle. Personne ne résistait à son charme. Intelligente, aussi. Habile, querelleuse, passionnée... Le matin, quand je la réveillais, je savais tout de suite si la journée serait agéable ou effroyable. Quand elle se tournait sur son côté droit, c'était mauvais signe. Elle n'avait pas son compte de sommeil. Un ange ou un démon, c'était selon... Avec moi, c'était plutôt un démon. Mais je ne lui en voulais pas. Elle commandait, j'obéissais. Un jour, elle a volontairement renversé un cendrier. « Ramassez, m'a-t-elle ordonné, ou je vous fais chasser de Cambridge. » Je l'ai giflée. J'ai aussitôt regretté mon geste. Pas seulement parce que je venais de briser ma carrière, mais parce que je lui avais fait mal. « Tu as eu raison, m'a-t-elle dit. Mais à présent, fais ton travail. Ramasse. » J'en tremblais. Je m'attendais à être convoqué par Sir Caius. Le lendemain, j'ai trouvé sur ma table de travail les deux volumes du traité de biologie que je rêvais d'acquérir et qui étaient hors de portée de ma bourse.

— L'aimiez-vous ou la détestiez-vous? demanda Scott Marlow.

— Je suis incapable de vous le dire, déclara John Garret à voix basse.

Higgins laissa le silence s'installer. L'étudiant avait besoin de reprendre ses esprits. Lui, le scientifique et le rationaliste, semblait se perdre dans un rêve dont il détenait seul les clés.

— A votre avis, monsieur Garret, pourquoi a-t-on assassiné Cecilia Ambroswell?

— Je ne pense plus qu'à cela depuis que j'ai découvert le corps, inspecteur. Je n'arrive même plus à me concentrer et à travailler. Je prends du

retard sur mon programme à chaque seconde.
Mais je ne peux chasser de mon esprit ce visage
ensanglanté qui restait si pur, si noble dans la
mort. Et je ne trouve rien, pas un indice, pas un
élément d'explication. Cet assassinat n'a aucun
sens.

CHAPITRE 8

C'est muni de deux valises que le superintendant Marlow, cheminant aux côtés de l'ex-inspecteur-chef Higgins, quitta St. John's College. Il ne
décolérait pas.

– Ce garçon est coupable, c'est l'évidence
même. Ne nous torturons pas à rechercher une
vérité qui nous crève les yeux! Comme dans tant
de cas bien connus, celui qui prétend avoir découvert le corps de la victime n'est autre que l'assassin! Ce malheureux était soumis à une torture
permanente. Cette Cecilia était un vrai monstre
qui humiliait son serviteur de manière intolérable.
Il l'avoue lui-même, le naïf! Pendant cette *party*,
la bande des riches a dû se moquer de lui davantage que de coutume, excitée par Cecilia Ambroswell. Cette horrible soirée fut la goutte d'eau qui a
fait déborder le vase. Une fois les invités partis, il
est revenu sur ses pas, muni de la rame qu'il avait
volée dans l'atelier de Duke, et il l'a sauvagement
tuée.

– Ce n'est pas impossible, dit Higgins, énigmatique. Mais chaque chose en son heure, mon cher
Marlow. Je vous invite à déjeuner au *Red Cow*, le
plus vieux pub de Cambridge.

Après avoir emprunté Trinity Street et être
passés devant l'imposant King's College, les deux
policiers tournèrent dans la courte Benet Street et
débouchèrent dans Corn Exchange Street où était

sis le *Red Cow*, signalé à l'attention des passants
par une tour orientalisante à bulbe terminée par
une flèche sur laquelle se juchait un dragon.
Ouvert de 12 heures à 14 heures et de 19 heures à
22 h 30, le pub était strictement réservé aux hommes.

Higgins poussa la porte aux petits carreaux
opaques. Guidant Scott Marlow, il traversa le
public bar aux sièges de bois et pénétra dans le
lounge aux fauteuils confortables.

Là se tenait un homme ventripotent, chauve et
barbu qui dégustait une pinte de bière en discu-
tant avec un client. Son œil vif se braqua aussitôt
sur les deux policiers.

Stupéfait, il posa sa pinte et se tourna vers
l'ex-inspecteur-chef.

— Mais... c'est un miracle! Higgins en personne! Tu n'as presque pas changé, vieille
arpète!

L'ex-inspecteur-chef n'appréciait que modéré-
ment l'épithète mais, tout bien pesé, arpète déri-
vait de l'allemand *arbeiter*, « le travailleur », et
désignait le jeune apprenti qu'avait été Higgins en
commençant ses études supérieures à Cambridge.

— Mon cher Petty, dit Higgins, réjoui, vous
n'avez pas trop changé, vous non plus! Etre le
patron du pub le plus littéraire d'Angleterre
conserve son homme.

— Qui c'est, celui-là? demanda Petty, inquisiteur, en dévisageant Scott Marlow. Ton valet de
chambre?

— Pas exactement. Je vais vous expliquer... si
nous trouvons un endroit discret.

— Sacré Higgins! Toujours le même : discret et
efficace! Vous êtes mes invités, toi et ton ami.
Montons chez moi.

Les deux policiers furent accueillis avec chaleur
par Mme Petty qui, au premier étage du pub,
mitonnait de succulents petits plats. Après deux

pintes de John Courage, bière ferme mais gou-
leyante, Higgins et Marlow apprécièrent une pièce
de bœuf, une frisée aux lardons et un pudding à
l'armagnac, spécialité du maître des lieux réservée
à de rares privilégiés. Pendant le repas, on échan-
gea force banalités sur le temps, sur l'âge qui
venait, sur la dégradation des mœurs et quelques
autres sujets inépuisables.

Quand vint le moment du Cherry, une cuvée
spéciale au parfum exceptionnel, Petty retroussa
ses manches et demanda à sa femme d'aller se
reposer. On passait aux choses sérieuses.

— J'avais entendu dire que tu étais à la retraite,
Higgins, et que tu avais oublié Scotland Yard... et
voilà que tu ramènes une huile, non?

— Le superintendant Marlow est, en effet, un
policier de grande envergure chargé d'une mission
particulièrement importante.

— Le meurtre de Cecilia Ambroswell, hein?

Scott Marlow sursauta.

— Comment le savez-vous?

— Vous affolez pas comme ça! Par mon infor-
mateur préféré, le vieux Duke. Il vient boire ici, le
samedi soir. Il m'en raconte, des histoires, quand
il est saoul... mais rassurez-vous : je suis le seul à
savoir. Je suis un peu comme un frère pour lui. Sa
seule famille.

Scott Marlow, rassuré, vida son verre de Cherry
et en accepta un autre. Higgins souriait.

— Je savais qu'aucun aspect de la vie de Cambridge ne vous échappait, mon cher Petty, mais je
n'en avais pas espéré autant.

— Tu as toujours été mon préféré, Higgins.
Quand j'ai hérité de ce pub, j'avais vingt-cinq ans.
Toi, tu es arrivé à Cambridge un an plus tard. Et
tu as commencé à...

Higgins mit un doigt sur sa bouche, le geste
échappant au superintendant. Petty comprit que
l'ex-inspecteur-chef ne tenait pas particulièrement
à voir rappelés ses exploits d'étudiant.

– Vous connaissiez Miss Ambroswell? demanda Higgins.

– De réputation, répondit le patron du pub. Elle n'est malheureusement jamais venue ici. Malheureusement, parce que c'était une beauté, à ce qu'on dit. Son domestique, un certain Garret, m'a souvent acheté du whisky et de la bière pour les petites réceptions de sa patronne. Une satanée coureuse... Il n'y a pas beaucoup d'hommes qui lui ont résisté.

– Et le comte Herbert von Wigelstein?

– Celui-là, il est venu une fois. Il a garé sa Mercedes devant le pub où ne stationnent ordinairement que des vélos. Dès qu'il est entré, il a décliné tous ses titres pour m'impressionner. M'impressionner, moi qui ai vu défiler le monde entier dans ce pub! Il a commandé un triple whisky. Je suis monté ici pendant qu'il buvait et j'ai jeté un œil sur la voiture. Il y avait une femme à l'intérieur. Elle portait des lunettes noires, la nuit... Plutôt bizarre, non? J'ai l'impression que cette péronnelle ne souhaitait pas être reconnue.

Scott Marlow, bien qu'il se laissât envahir par la douce chaleur du Cherry qui le conduisait vers une légère somnolence, crut avoir mal entendu.

– Vous vous trompez sûrement! Le comte était fiancé à Cecilia!

– Je ne dis pas le contraire... mais cette femme était honteuse d'être là, vous pouvez m'en croire! Elle a eu conscience que je l'observais. Elle s'est tassée sur le siège de la voiture pour se faire toute petite et elle a mieux ajusté le foulard qui recouvrait sa tête. Impossible d'en donner la moindre description.

– Herbert von Wigelstein est-il resté longtemps dans votre établissement? demanda Higgins.

– Juste le temps de boire un second triple whisky. Il parlait sans arrêt. Un violent. Il critiquait tout : l'administration de Cambridge, les pelouses à l'anglaise, l'ingratitude des femmes, Sa Majesté la reine elle-même...

— Il a osé? s'indigna Scott Marlow.

— Il tenait mal l'alcool, déplora Petty.

Higgins avait posé son carnet noir sur la table et prenait des notes.

— Le comte a-t-il parlé de certains de ses condisciples?

— Non... mais je n'ai pas compris tout ce qu'il disait. Ses propos devenaient de plus en plus incohérents. Par moments, il chantait.

— Petty, vous êtes un fin psychologue.

Le patron du pub rosit de plaisir.

— N'exagérons rien...

— Si, si, insista l'ex-inspecteur-chef. Nul mieux que vous n'est capable d'apprécier le véritable caractère d'un individu. Malgré les trop brèves minutes dont vous avez disposé pour juger le comte von Wigelstein, quelle impression vous a-t-il laissée?

Petty alluma un cigare pour mieux rassembler ses souvenirs. Il tira trois bouffées. Scott Marlow, les mains croisées sur son ventre, résistait au sommeil vaporeux qui le gagnait.

— Un drôle de bonhomme, le comte... Pas vraiment à l'aise dans sa fortune et dans sa peau. Sûr de lui et vacillant... Il s'étourdissait avec son discours. Il avait besoin de s'éblouir pour se rassurer. Un être seule, en définitive, sans colonne vertébrale. Mais on tient beaucoup à lui, à Cambridge.

— Soyez plus précis, Petty.

— Je veux dire Sir Caius. On le dit très lié à la famille von Wigelstein. Herbert l'emmène souvent à la chasse.

— Je croyais que cette activité lui faisait horreur.

— Ça dépend des jours, Higgins. Sir Caius est un homme de compromis. Il est obligé de s'adapter aux uns et aux autres, quand ils ont de

l'influence. Pour lui, Cambridge passe avant tout.
Il serait capable de vendre son âme au diable pour
sauver son université. Mais je cause, je cause... et
toi, tu ne me dis rien! Tu n'as vraiment pas
changé, vieux forban! Comment le crime a-t-il été
commis? Et qui soupçonnes-tu?

— Je n'ai pas encore entendu tous les suspects.
Quant à l'assassinat lui-même, il est encore sous le
sceau du secret pour éviter un scandale. Qu'a
révélé exactement le vieux Duke?

— A part le nom de la victime, pas grand-
chose... mais il fait semblant d'en savoir très long.
Il se vante, comme d'habitude. Comme avec ses
histoires de filles.

— Quelles histoires? s'inquiéta Scott Marlow
qui n'avait jamais transigé sur le terrain de la
morale.

— Oh, des broutilles! Une poussée de sève prin-
tanière lui a fait commettre une ou deux bêtises
sans gravité avec des étudiantes trop aguicheuses.
Sir Caius a étouffé l'affaire, comme toujours.
Mais Duke sait qu'il doit se tenir à carreau. Plus
question de courir le guilledou!

Higgins montra l'épingle de cravate en or. Petty
siffla d'admiration.

— Magnifique! Et ce pélican si finement gravé...
mes félicitations, Higgins! C'est le cadeau de
Scotland Yard pour ta brillante carrière?

— Hélas non, soupira l'ex-inspecteur-chef qui
trouvait effectivement cet objet digne d'être porté.
Cette épingle vous est inconnue?

Petty se concentra.

— A moi, oui... mais il y a une personne qui
vous racontera tout sur elle, sa date de fabrica-
tion, le nom de l'artisan qui l'a créée, celui du
propriétaire et mille autres détails.

Higgins demeurait fort calme. Scott Marlow
s'étrangla avec une gorgée de Cherry.

— Et qui donc?

— Olivia Parker, la bibliothécaire de Trinity

College. Un puits de science. Elle sait tout sur tout. Côté bagatelle, évidemment, ça laisse à désirer... mais on ne peut pas être doué dans tous les domaines!

Scott Marlow jugea que la conversation risquait de s'enliser. Aussi intervint-il avec assurance.

— Connaîtriez-vous un hôtel où nous pourrions déposer nos valises et réserver une chambre?

— L'hôtel Ivanhoé. Je fais déposer vos valises. Combien de jours resterez-vous à Cambridge?

— Le temps de l'enquête, répondit Higgins.

Le temps s'était dégagé mais, grâce au ciel, la température avait encore fraîchi. Higgins ne souffrirait pas de la chaleur pour mener à bien des investigations qui s'avéraient longues et difficiles.

Les deux hommes se rendirent au poste de police situé dans St. Andrew's Street, face à la Midland Bank. Les représentants de l'ordre avaient élu domicile dans un admirable immeuble en pierres de taille de style Renaissance. A Cambridge, la police savait vivre.

Scott Marlow eut un entretien rapide et constructif avec les autorités locales qui espéraient encore éviter toute publicité fâcheuse pour Cambridge. Le travail des policiers locaux s'était résumé à sa plus simple expression : photographies et dessins pris par l'identité judiciaire dans la chambre de la victime, enlèvement du cadavre et transport à Londres pour autopsie, saisie de l'arme du crime, premier interrogatoire du témoin John Garret qui avait découvert le corps. Seule légère entorse au règlement : pas de mise sous scellés de la porte de la chambre. Sir Caius ayant affirmé qu'il n'existait que deux clés, il en avait gardé une et confié l'autre à la police.

L'atmosphère n'était pas des plus réjouissante. Aucune piste ne se dessinait.

***

Profitant d'une éclaircie, Higgins emmena Scott Marlow faire une promenade digestive sur les bords de la Cam, le long de Queen's College. Une trouée de ciel bleu éclaira ce qui subsistait de l'exemple le plus complet d'un collège du Moyen Age dont deux reines, Margaret d'Anjou, épouse d'Henri IV, et Elizabeth Woodville, femme d'Edouard IV, s'étaient partagé la fondation. Les deux policiers admirèrent la Loge du président, vénérable édifice de haute époque, avec ses arcades inférieures, ses rares fenêtres à carreaux armoriés et ses bois de charpente apparents, rythmant sa façade par des bandes verticales. Ici, on était replongé dans le Cambridge le plus ancien, on imaginait les silhouettes des étudiants exaltés par la découverte du Trivium et du Quadrivium rassemblant les « arts libéraux » que tout honnête homme devait connaître pour bien conduire son existence. Les professeurs passaient en toge noire, les élèves les saluaient, les livres étaient vénérés comme des valeurs sacrées...

Presque malgré lui, Higgins entraîna Marlow vers le *Mathematical Bridge*, le pont des Mathématiques construit en 1749 et reconstruit en 1867. Il consistait en une simple arche de bois à croisillons jetée sur la rivière. C'était là, disait-on, que le grand Erasme avait longuement médité pour concevoir son *Eloge de la folie*. Le jeune Higgins avait particulièrement aimé cet endroit, à cause des hêtres, des saules pleureurs, de la pelouse sur laquelle venaient se déposer les feuilles d'automne, formant un tapis d'or. Il s'asseyait sur la berge et regardait passer étudiants et étudiantes qui se promenaient en barque, en devisant gaiement ou révisant leurs cours. C'est là qu'il avait manié une

rame pour la première fois, faisant dangereuse-
ment tanguer son bateau et créant une grande
frayeur dans un groupe de canards obligés de
s'envoler à tire d'aile pour éviter une collision.

Scott Marlow, que la nature n'ébranlait pas
outre mesure, était plongé dans une profonde
réflexion.

— Dites-moi, Higgins... et si la femme qui se
cachait dans la voiture du comte von Wigelstein
n'était autre que Cecilia Ambroswell elle-même?

— Pourquoi pas? Mais quels auraient été ses
motifs de se comporter ainsi?

— Impossible de répondre à cette question pour
le moment... mais je sens que nous tenons là
quelque chose de sérieux.

— Il est vrai, admit Higgins, que Petty dirige un
pub remarquable et que ses confidences sont aussi
dignes d'estime que sa cuisine.

— Le rôle du comte devient de plus en plus
obscur, estima le superintendant. Pourquoi ce
comportement?

— Peut-être parce que Cecilia Ambroswell le
rendait malheureux. Petty a décrit la victime
comme une dévoreuse d'hommes.

— Je vois mal le comte risquer de rompre son
mariage avec une aussi riche héritière...

— Le vieux Duke commence aussi à se dessiner
d'une manière peu sympathique, ne trouvez-vous
pas?

— Je crois surtout qu'il ne cesse de se vanter.
Pour moi, c'est un paresseux et un inutile. Il a
bien dû tenter de commettre quelques frasques...
mais il cherche surtout à exploiter la situation. Il
voudrait nous faire croire qu'il est quelqu'un
d'important, qu'il détient de lourds secrets! Enfin,
il deviendrait un personnage considérable. Plus
curieux est le mensonge de Sir Caius. Lui qui
prétendait détester la chasse...

— C'est peut-être vrai, objecta Higgins. Il est
sans doute obligé de s'y rendre en compagnie du

comte von Wigelstein pour ne pas enfreindre un code de politesse. Il est le Maître de Cambridge, ne l'oubliez pas, et doit se plier à un réseau complexe de règles écrites ou non pour garder l'estime des professeurs et des étudiants.

Ces subtilités ne plaisaient guère à Scott Marlow. Higgins rêva un instant de ce matin de printemps où, accoudé au pont des Mathématiques, il avait vu venir vers lui un élégant esquif que manœuvrait avec grâce une jeune fille aux longs cheveux auburn...

Il y avait bien, dans la solitude de ce début d'été, une jeune fille qui naviguait sur la rivière.

Et qui n'était pas un rêve.

CHAPITRE 9

La jeune fille s'immobilisa juste sous le pont et dévisagea les deux policiers.

— Qui êtes-vous? demanda-t-elle, insolente.

— Higgins, Scotland Yard et mon collègue le superintendant Marlow.

— Ah... Mon nom est Jennifer Storey. Je suppose que vous souhaitez m'interroger?

— Si vous y consentez, indiqua Higgins avec un bon sourire.

— J'accoste, je débarque et je suis à vous.

Jennifer Storey manœuvrait son embarcation avec beaucoup d'habileté. Bien qu'ayant une vingtaine d'années, elle paraissait plus âgée. Ses longs cheveux auburn ne l'avantageaient pas. Ils rendaient trop sérieux et trop austère un visage fin, presque mutin.

— Pardonnez ma tenue, s'excusa-t-elle auprès des deux policiers à qui elle serra la main avec naturel. J'ai quitté l'uniforme. Ce sont les vacances.

Scott Marlow, qui avait été légèrement choqué par le pull-over trop vague et les knickers de la jeune fille, accepta cette explication. Il estima néanmoins que ce type de relâchement était nuisible à la bonne réputation de Cambridge. C'est en acceptant ce genre de faiblesse qu'une institution commençait à se dégrader.

— On se promène ou on va dans ma chambre? proposa-t-elle.

— Promenons-nous et allons jusqu'à votre chambre, répondit Higgins, conciliant.

Jennifer Storey avait une voix aiguë et décidée. Tout, en elle, était rapide et incisif. Une sorte de feu follet non dépourvu de séduction et de volonté.

Le trio marcha lentement sur la berge. La pluie menaçait à nouveau.

— Depuis ce drame, confia-t-elle, je ne dors plus. C'est trop atroce...

— Vous connaissiez bien Cecilia Ambroswell? demanda Higgins.

— Très bien. Nous sommes arrivées à Cambridge ensemble. J'appartiens à une famille d'ingénieurs qui n'a pas la même fortune que la sienne, loin de là, mais ce ne fut pas un obstacle entre nous. Nous nous sommes tout de suite bien entendues. Elle possédait un esprit vif qui me plaisait. Cecilia avait mille qualités.

— Et aussi mille défauts? suggéra Higgins, l'œil inquisiteur.

Jennifer Storey le regarda de côté, intriguée.

— Je ne suis pas le premier témoin que vous interrogez, n'est-ce pas? Vous avez déjà appris beaucoup de choses, à ce qu'il semble. Il serait idiot de vous mentir ou de travestir la vérité.

— C'est bien mon avis, affirma Scott Marlow, menaçant. Vous parlez à Scotland Yard, mademoiselle, et nous avons besoin de votre témoignage sincère pour identifier l'assassin.

— Vous l'aurez, superintendant!

Jennifer Storey s'était amusée à répondre comme un soldat face à son supérieur. Jouer avec autrui devait être l'un de ses passe-temps préférés.

Le soleil se cachait par instants derrière un énorme nuage noir. La lumière courait sur les pierres et sur la rivière. C'était tout le charme de cette vieille Angleterre, avec ses nuances et ses contrastes qui en faisaient un pays unique au monde et, à dire vrai, le plus beau de tous les pays.

— Aimez-vous les animaux empaillés, mademoiselle? interrogea Higgins.

Jennifer Storey fut un instant déroutée.

— C'est la première question d'un nouveau jeu de société?

— Connaissez-vous ceci?

Dans la paume de la main droite de l'ex-inspecteur-chef brillait l'épingle de cravate au pélican.

— C'est vieux jeu... je n'en porte pas de semblable. Je vous la laisse.

— Aimez-vous les travaux manuels, la couture, le bricolage?

Jennifer Storey se figea sur place puis éclata d'un rire gai et pétillant.

— Moi? Les travaux manuels? Vous êtes un humoriste qui s'ignore, inspecteur! On m'a toujours interdit de toucher à un outil, de peur de provoquer d'horribles catastrophes. Mon seul et unique domaine de prédilection, ce sont les mathématiques. Vous pouvez me confier l'équation la plus ardue, je vous la restituerai au centuple! Pour le reste, je préfère m'abstenir. Ah si... Puisque vous désirez que je vous dise tout, je suis une adepte inconditionnelle du découpage. Les ciseaux et la colle font partie de la panoplie parfaite de l'étudiante. Ne jamais encombrer ses dossiers, prendre des notes claires, ne pas hésiter à ne mettre qu'une formule par page... Dès que j'ai fini de prendre un cours à la hâte, je me jette sur ma paire de ciseaux, je découpe et je recolle avec de l'ordre et de la méthode.

Higgins, qui n'avait point d'autres principes, apprécia cette maturité chez une aussi jeune personne.

– Savez-vous comment Cecilia Ambroswell a été assassinée?

– Je... non. Comment le saurais-je?

– En parlant avec John Garret ou avec le vieux Duke. Ou bien encore en écoutant la rumeur publique.

– À Cambridge, inspecteur, il vaut mieux oublier cette dernière. La concurrence entre étudiants est très sévère. Nous nous apprécions, mais nous sommes des adversaires. Les places sont chères. La rumeur publique est un tissu de fausses nouvelles destinées à nous faire perdre du temps, à nous égarer dans des chemins de traverse. Moi, j'ai pris l'habitude de me boucher les yeux et les oreilles.

– Et le vieux Duke?

– Je ne lui ai jamais adressé la parole. Il est sale, il boit et il sent mauvais. Ce n'est pas exactement mon genre d'homme. En plus, il me fait presque peur. On a toujours l'impression qu'il vous déshabille en vous regardant.

– Il n'en va pas de même avec John Garret, je suppose?

– Pauvre John... Le voilà au cœur d'une sale histoire. Il n'avait vraiment pas mérité ce coup dur.

– Pourquoi donc, mademoiselle? Son existence ici est-elle si difficile?

– Vous voulez dire abominable! John est un serviteur, un esclave. Cecilia le traitait comme un chien. Je trouve ces pratiques insupportables. Si je dispose un jour d'un poste à responsabilités, je demanderai leur suppression.

Scott Marlow n'était pas loin de considérer Jennifer Storey comme une dangereuse gauchiste. Tout n'était peut-être pas parfait à Cambridge. mais détruire des traditions marquerait obligatoirement le début de la décadence.

– Les autres *scouts* ne sont probablement pas

mieux traités. objecta Higgins. C'est la coutume qui le veut.

— Inexact, inspecteur! John Garret avait droit à un traitement de faveur, si l'on peut dire. Il est d'origine très modeste. Travailler à Cambridge est pour lui un miracle. Cecilia l'avait compris. Il ne pouvait rien lui refuser. Elle ne se privait pas de l'humilier en public. Chaque matin, il la suivait, portant ses affaires. Elle lui confiait une pile de livres de plus en plus lourde, jusqu'à ce qu'il trébuche sous le poids. John les ramassait, les essuyait. Cecilia riait. « Cela vous fera les muscles, disait-elle. Puisque vous refusez le sport, il vous faut bien un peu d'exercice! »

Le superintendant voyait se préciser le portrait de la morte. Une jeune femme d'une incroyable cruauté, impitoyable avec autrui, usant et abusant des avantages que le hasard lui avait procurés. L'assassin devenait presque sympathique. Scott Marlow fut obligé de chasser cette mauvaise pensée. Un crime, quel qu'il fût, était impardonnable.

— Il y aurait cent anecdotes comme celle-là, poursuivit Jennifer Storey. On aurait juré que Cecilia exerçait une vengeance sur son malheureux *scout*.

— Nous nous sommes entretenus avec John Garret, révéla Higgins. Il ne s'est plaint de rien. Il acceptait sa condition comme une nécessité passagère.

— Ça ne m'étonne pas de lui. Il a une formidable force de caractère. Seuls le travail et la recherche comptent à ses yeux. Il réussira, j'en suis sûre. Il deviendra un grand savant.

— Vous parliez de vengeance, intervint Scott Marlow. Pourquoi employer un mot aussi dur? John Garret avait-il nui de quelque manière à sa patronne?

La jeune fille, embarrassée, se mordilla les lèvres.

– Pas à ma connaissance... J'essayais de comprendre l'attitude de Cecilia, sans plus. Par ailleurs, elle était charmante avec ses amies. Je n'ai jamais eu à me plaindre d'elle, bien au contraire.

– Vraiment jamais? douta Higgins.

– Disons... presque jamais. Cecilia avait un tempérament si passionné, si ardent qu'elle passait parfois les bornes sans s'en apercevoir.

– Un exemple, mademoiselle Storey?

– J'aimerais mieux éviter...

– Puis-je vous demander cet effort?

La jeune fille décida de s'asseoir sous un saule pleureur d'où la vue sur la Cam était magnifique. Higgins déploya un grand mouchoir sur l'herbe encore humide et l'imita. Scott Marlow, craignant de tacher son pantalon, demeura debout, les mains croisées derrière le dos.

– Ce que je vais vous raconter n'est guère à mon avantage, mais vous l'apprendriez par d'autres... Je sais que je ne suis pas très jolie. Avec d'autres filles de mon âge, ça peut passer... mais à côté de Cecilia, j'avais l'air d'être un vrai laideron. Il suffisait qu'elle soit présente quelque part pour que les hommes n'aient d'yeux que pour elle. Lors de la dernière *party*, Herbert, son fiancé officiel, a commis l'imprudence de me regarder de manière un peu trop appuyée et de me faire sentir que je pouvais être plutôt attirante si je consentais à me maquiller un peu. Cecilia l'a entendu. Elle est devenue une vraie furie, obligeant Herbert à s'éloigner. « Vous n'allez quand même pas vous amouracher de ça? », lui a-t-elle jeté au visage, suffisamment fort pour que j'entende bien ses propos. Même pour une mathématicienne habituée à l'abstrait, c'est dur d'être qualifiée de « ça »...

– D'autant plus que vous ne le méritez pas, affirma Higgins, attendri.

Jennifer Storey leva vers lui des yeux reconnais-

sants. La glace était rompue entre la mathématicienne et l'ex-inspecteur-chef. Le superintendant,
qui ne se sentait guère à l'aise lorsqu'il interro-
geait des jeunes filles, se tint prudemment en
retrait, tentant de se faire oublier. Les déclarations et le comportement de Jennifer Storey ne le
satisfaisaient guère. Il la considérait de plus en
plus comme une coupable en puissance. Même si
elle ne consentait pas à le formuler, elle haïssait
Cecilia Ambroswell.

— Comment s'est déroulée cette fameuse *party*,
mademoiselle Storey?

— Si elle ne s'était pas terminée aussi tragique-
ment, inspecteur, elle aurait été la plus réjouissante et la plus folle que j'aie connue! Pensez
donc : nous avions un invité surprise. John Garret
en personne! L'esclave accueilli à la table des
maîtres, le pauvre venant récolter les miettes du
festin des riches! Il ne savait pas où se mettre, le
malheureux... mais cela n'a pas duré longtemps.
Cet imbécile de comte allemand a commis l'une
des gaffes dont il est coutumier. Au lieu de rester
dans les banalités d'usage et de remplir les verres,
il s'est aventuré sur le chemin des études... en
déclarant que la relativité d'Einstein serait bientôt
dépassée et que les progrès de la biologie moléculaire n'étaient que de la poudre aux yeux. Quelle
perche tendue à John Garret! Il a réagi avec une
violence que nous ne lui connaissions pas. S'il y
avait eu un tableau noir, il nous aurait donné
deux heures de cours. Je crois que Cecilia était
furieuse. Sur ce terrain, elle n'avait pas la possibilité de se battre. Elle avait invité son *scout* pour le
ridiculiser une fois de plus, et c'est lui qui tenait la
vedette! En plus, il nous passionnait... Personne
ne voyait passer le temps.

— Quand a-t-il sorti son carnet de notes?

Jennifer Storey ne cacha pas son étonnement.

— Vous êtes un vrai sorcier! On croirait que
vous y étiez. Excédée, Cecilia a tenté de le contrer

sur un point technique. Comme si elle y connaissait quelque chose! « J'ai la preuve de ce que
j'avance ici! », s'est défendu John Garret. « Mais
c'est une information de première main, encore
confidentielle. » « Venez dans ma chambre, et
montrez-la-moi en privé, a insisté Cecilia. Vous
n'avez pas le droit de me refuser cela. » John s'est
laissé convaincre. Il ne risquait pas grand-chose,
en fait. Cecilia était bien incapable de comprendre
ce qu'il allait lui dévoiler. Ils se sont isolés une
dizaine de minutes et sont revenus dans le
salon.

— Voilà donc le moment où John Garret a
déposé son carnet sur le bonheur-du-jour, conclut
Scott Marlow. Echauffé par l'atmosphère, par
l'alcool et par son premier succès mondain, il a
oublié de le récupérer en partant.

Un vent frais faisait vibrer les feuilles du saule
pleureur. L'herbe et le ciel prenaient des teintes si
tendres que l'on aurait juré que Dieu le Père avait
confié à Turner le soin de peindre une aquarelle
cosmique pour réjouir les yeux des mortels.

— Cecilia avait le goût du canoë et de l'aviron,
m'a-t-on dit...

— Cecilia? s'étonna la jeune mathématicienne.
Ça me surprendrait. Elle n'aimait que la chasse à
courre, à condition qu'on ne tue pas le gibier. Qui
vous a raconté cela?

— Duke.

— Duke invente n'importe quoi pour se mettre
en valeur. C'est le plus grand fabulateur de tous
les temps. Comment pouvez-vous supposer un
instant qu'une femme comme Cecilia ait eu le
moindre contact avec Duke?

Dans son for intérieur, Scott Marlow approuva
cette analyse.

— Il me semble que si je vous ai bien écoutée,
dit Higgins sur le ton de la confidence, vous avez
qualifié le comte Herbert von Wigelstein de
« fiancé officiel » et d'« imbécile »?

Jennifer Storey sourit de manière adorable. Elle avait réellement beaucoup plus de charme qu'elle ne le supposait elle-même. « Une coupe de cheveux faite par un coiffeur de génie, estima l'ex-inspecteur-chef, et elle serait métamorphosée. »

– Votre ouïe est parfaite, inspecteur! Ce sont exactement les termes que j'ai utilisés et je ne les renie pas! A Cambridge, tout le monde le sait... Qui prétendrait le contraire ferait un mensonge bien stupide. Herbert n'est pas méchant, mais c'est un grand nigaud. Le seul à ne pas s'en rendre compte, c'est lui! A l'entendre, il est le spécimen de l'homme parfait, aussi doué physiquement qu'intellectuellement, champion d'aviron et de littérature comparée... en fait, à part sa fortune et son minois qui n'est pas désagréable, je ne lui vois pas d'autres avantages!

« Lucidité impitoyable des femmes », pensa Higgins, qui s'en était souvent félicité au cours de ses enquêtes.

– Si je comprends bien, le comte tentait de vous faire un peu la cour...

– Comme à toutes les femelles qui l'entouraient, inspecteur! Entre lui et Cecilia, c'était une compétition permanente! Il n'y avait qu'une petite différence : Cecilia gagnait à tout coup, mais Herbert perdait...

– Et pourtant, il demeurait le fiancé officiel...

– Je suppose que ce défi n'entamait pas une sorte d'affection qui les unissait. Et puis, entre les familles richissimes, il se tisse certains liens inexplicables pour le commun des mortels. Je suppose que les familles s'étaient entendues pour unir leurs tourtereaux et faire en sorte que leurs intérêts matériels soient préservés.

– Si nous visitions votre chambre?

– Vous voulez connaître mon cadre de vie, inspecteur? Comme ça, vous décèlerez les aspects de mon caractère que j'ai tenus soigneusement cachés, vous continuerez à prendre des notes sur

votre carnet noir et vous déciderez si je suis
suspecte ou non.

— On ne peut rien cacher à une scientifique telle
que vous, mademoiselle.

Mutine, Jennifer Storey se releva en souplesse
et tendit la main à l'ex-inspecteur-chef qui l'accepta avec plaisir. La fraîcheur revenue, son
arthrite le laissait en paix.

Passer sur le *Mathematical Bridge*, s'engager
dans une galerie voûtée, déboucher dans la cour
de Queen's College, admirer une fois encore une
pelouse soignée à la perfection étaient des plaisirs
simples dont Higgins ne se lassait pas. Sa jeunesse
lui dilatait le cœur. Il savait que ce n'était qu'une
illusion, que son passé était une ombre glissant
entre des fantômes de bonheurs disparus, mais il
goûtait l'instant présent avec délectation.

La chambre de Jennifer Storey était beaucoup
moins vaste que celle de Cecilia Ambroswell, mais
nettement plus grande que celle de John Garret.
Dans le salon aux murs crépis à la chaux, des
étagères remplies de manuels de mathématiques,
et un fauteuil d'osier. La chambre elle-même était
plus coquette : un papier mural jaune pâle mettait
en valeur un lit en merisier aux boiseries délica-
tes.

— Comment s'est déroulée la fin de la *party*?
demanda Higgins.

— Nous avions beaucoup bu, dans l'euphorie de
nos réussites respectives aux examens... Même si
Cecilia et Herbert avaient bénéficié de certaines
protections, ils étaient quand même reçus. Nous
étions associés dans la même joie. Il était tard,
très tard quand Cecilia nous a tous mis à la
porte.

— Vers quelle heure?

— Au moins 3 heures du matin... je ne saurais
être plus précise. Je ne savais plus très bien où
j'étais, tant la tête me tournait... Mes jambes me
conduisaient toutes seules. J'ai marché longtemps

au hasard... Tout à coup, j'ai eu l'horrible sensation d'être suivie. C'est en me dirigeant vers Trinity College que j'ai aperçu une ombre... j'ai crié... j'ai cru entendre : « sale garce! »... une voix que je n'ai pas reconnue... puis il y a eu un bruit de course... on s'enfuyait.

— Une voix d'homme ou de femme? s'enquit Higgins, brusquement tendu.

— Impossible à préciser, inspecteur. Je me demande même si je n'ai pas rêvé. Ces vieilles pierres m'impressionnent beaucoup... j'aimerais mieux travailler dans des bâtiments modernes.

Scott Marlow s'impatienta. Il n'avait jamais recueilli autant de témoignages flous et incertains.

— Enfin, mademoiselle, avez-vous entendu quelquequ'un parler ou non? Avez-vous vu quelqu'un s'enfuir ou non?

— Vu... entendu... je ne sais plus. C'était comme un cauchemar. Je ne me souviens même plus de m'être couchée et, pourtant, le lendemain matin, je me suis bien réveillée dans mon lit.

Le superintendant ne crut pas un mot de ces déclarations. Une mathématicienne ne pouvait être imprécise à ce point. Ou bien elle tentait de les lancer sur une fausse piste, ou bien elle dénonçait quelqu'un, son soi-disant agresseur, avec un maximum d'habileté afin de ne pas apparaître comme une délatrice. Soudain, un voile se déchira dans l'esprit du superintendant. Et si les participants à cette réception avaient eu intérêt à se nuire les uns aux autres? Si la mort de Cecilia avait été l'occasion d'un règlement de comptes qui n'était peut-être pas encore terminé?

— Etes-vous en bons termes avec Olivia Parker, la bibliothécaire de Trinity College, et avec Henrietta Siwell, la choriste de King's College? interrogea Higgins, comme s'il avait lu dans la pensée du superintendant.

Jennifer Storey retrouva le dynamisme qui semblait l'avoir abandonnée.

— Bien sûr... Henrietta est la plus formidable des amies. Toujours gaie, toujours en forme! Elle n'a pas son pareil pour vous remonter le moral. Pourtant, entre ses études et sa vocation de choriste, elle est plutôt surmenée. Olivia, c'est différent... un autre monde. A Cambridge, c'est une célébrité. Sa réussite est exemplaire. Elle a même l'oreille de Sir Caius pour les nominations aux postes importants. Mais elle a su rester simple, proche des jeunes. Pour nous, c'est une chance de l'avoir comme amie. Elle est encore concernée par nos préoccupations d'étudiants alors qu'elle est de l'autre côté de la barrière. Une qualité rarissime.

— En effet, reconnut Higgins. Savez-vous où je trouverai Olivia Parker?

— A la bibliothèque de Trinity College, comme chaque jour.

CHAPITRE 10

Des tours couvertes de lierre dans leur partie basse marquaient l'entrée du vaste et imposant Trinity College. A la suite de la démolition de plusieurs bâtiments, au XVIᵉ siècle, Trinity College avait bénéficié de la plus grande cour de tous les collèges britanniques, Oxford compris. En son centre, un puits monumental à colonnades entouré de massifs de roses rouges. Qu'il s'agisse du porche d'entrée des galeries aux fenêtres hautes, des tourelles ou des arcatures, Trinity College était voué à un gothique tardif, avec un arrière-goût de Moyen Age fortifié et un avant-goût de château Renaissance. L'ensemble manquait un peu de cohérence et avait une allure légèrement théâtrale.

Mais Trinity College possédait un atout majeur : la bibliothèque construite par le plus illustre architecte anglais, Sir Christopher Wren, le maître d'œuvre de la cathédrale Saint-Paul, à Londres. La façade de la bibliothèque, en pierre rose, donnait sur la Cam. L'étage inférieur, très austère, était animé par des fenêtres rectangulaires et par trois portes encadrées de colonnes d'inspiration grecque. L'étage supérieur, beaucoup plus riant, réduisait la pierre au minimum pour laisser entrer la lumière par de grandes baies vitrées. Le sommet de la façade était orné d'une balustrade.

A l'intérieur sommeillaient plus de quatre-vingt-dix mille volumes et deux mille manuscrits, aussi rares les uns que les autres, parmi lesquels la première version du *Paradis perdu* de Milton, des poèmes d'Alfred Tennyson et le Psautier de Canterbury. A sa mort, Higgins léguerait à la prestigieuse collection ses éditions originales des poésies de Harriet J.B. Harrenlittlewoodrof.

Higgins et Scott Marlow pénétrèrent, recueillis, dans ce temple de la culture, presque totalement désert en cette période de vacances, et demandèrent à voir Olivia Parker. Un sous-bibliothécaire les informa qu'elle procédait à un inventaire de vérification dans la galerie principale. A l'entrée de cette dernière, les policiers admirèrent le fameux bois gravé de Grinling Gibbons et s'arrêtèrent, impressionnés, pour contempler la bibliothèque en chêne massif, le dallage à carreaux, le plafond blanc à caissons. Devant chaque élément de bibliothèque, ainsi que sur le faîte, des bustes en plâtre d'hommes célèbres, parmi lesquels Newton et Byron.

Olivia Parker était habillée d'un tailleur pied-de-poule d'une parfaite élégance. Son port de tête et sa classe naturelle lui donnaient des allures de grande dame. La trentaine épanouie, charmeuse et charmante, maquillée avec raffinement, Olivia Parker représentait de manière éclatante la *high society* de Cambridge.

Les deux policiers se présentèrent. La bibliothécaire de Trinity College ne manifesta aucune surprise.

— Je fais confiance à Scotland Yard, dit-elle, pour trouver le meurtrier de Cecilia. Elle ne méritait pas une telle fin.

La voix d'Olivia Parker manquait de naturel. Elle accentuait trop certaines syllabes, telle une actrice en représentation, désirant plaire à son public.

— Connaissiez-vous bien Miss Ambroswell? demanda Higgins.

— J'éprouvais de l'amitié pour elle... Quand elle est arrivée à Cambridge, elle a créé autour d'elle une atmosphère de scandale. C'était une très belle jeune fille courtisée par un nombre considérable d'étudiants. Beaucoup en voulaient certainement à son immense fortune. Mais Cecilia était aussi indépendante qu'imprévisible. Nul ne pouvait affirmer qu'il avait conquis son cœur.

— A l'exception, toutefois, du comte Herbert von Wigelstein, objecta l'ex-inspecteur-chef.

— Si l'on veut...

Olivia Parker sourit de manière ambiguë.

— Les deux jeunes gens ne s'aimaient donc pas, selon vous? insinua Higgins, avec l'onctuosité d'un confesseur prêt à entendre les pires péchés et à les pardonner.

— Comment lire dans l'âme des êtres, inspecteur? Je m'en sens incapable. Herbert est un garçon charmant, intelligent et délicat. Sa finesse d'analyse, sa sensibilité en font l'un des littéraires les plus brillants de Cambridge. Sa mémoire est prodigieuse. Il parle plusieurs langues avec une aisance déconcertante. Tout lui est facile... sauf, peut-être, l'amour.

Scott Marlow était fort gêné. Il ne s'attendait pas à ce qu'une dame de cette classe se comportât comme une midinette et tînt des propos à la limite de la décence.

— Connaissez-vous cet objet? demanda Higgins en montrant à Olivia Parker l'épingle de cravate en or.

La sérénité de la bibliothécaire fut troublée. Un court instant, elle perdit le contrôle d'elle-même. Son regard sembla s'égarer.

— C'est une pièce ancienne, de grande valeur, jugea-t-elle, parlant avec une autre voix, un peu hésitante, comme une jeune fille timide.

— Sauriez-vous à qui elle appartient?

Une nouvelle métamorphose s'opéra, aussi rapide que la précédente. Olivia Parker redevint une grande dame un peu hautaine, vaguement méprisante, parfaitement maîtresse de ses émotions.

– Non, inspecteur.

La bibliothécaire continua d'examiner les volumes reliés, comme si les deux policiers n'existaient pas.

– Avez-vous fait des recherches sur les animaux empaillés? demanda Higgins.

Olivia Parker se tourna vers l'ex-inspecteur-chef, indignée.

– Je pensais que Scotland Yard employait des enquêteurs d'une certaine valeur... et pas des personnages douteux se livrant à des plaisanteries de mauvais goût.

– Mademoiselle, indiqua Higgins sur un ton tranquille, les éléments essentiels d'une enquête échappent souvent aux suspects... c'est pourquoi le Yard parvient à identifier les coupables.

La bibliothécaire posa la superbe reliure en maroquin rouge qu'elle manipulait avec soin.

Elle s'empourpra.

– Qu'entends-je? Suspect? Coupable? Vous oseriez m'accuser, inspecteur?

« Prétentieuse, jugea Scott Marlow et, de plus, susceptible et insupportable. Un petit séjour en prison lui ferait le plus grand bien. »

– Tous les participants à la *party* sont des témoins, mademoiselle Parker, précisa Higgins. Ces témoins sont, à mes yeux, des suspects. Et parmi ces derniers, il y a l'assassin. Voici ma première conviction dans cette affaire. Et si vous êtes la criminelle, vous payerez votre crime.

L'ex-inspecteur-chef n'avait pas haussé le ton. Mais le magnétisme qui se dégageait de sa personne, la conviction qu'il avait mise dans son propos, désarçonna la bibliothécaire de Trinity College.

– Je crois que nos rapports se sont plutôt mal engagés, inspecteur. Veuillez m'en excuser... j'ai les nerfs à fleur de peau, en ce moment. Je voudrais tant que ce drame ne souillât point la réputation de Cambridge.

Higgins, mains croisées derrière le dos, commença à examiner les splendides volumes rangés dans les éléments de bibliothèque. Témoins immobiles de l'éternité, fidèles gardiens de l'esprit de l'humanité, ils étaient rassurants.

— Vous êtes une personne méthodique, donc forcément observatrice, analysa Higgins. J'aimerais entendre votre version de la dernière réception qu'a offerte Cecilia Ambroswell.

— Il ne s'est rien produit de bien remarquable, répondit Olivia Parker. Sauf, peut-être, l'intervention passionnée de John Garret, le domestique de Cecilia. Il s'est montré brillant, je l'avoue, mais assez déplacé. Le comte Herbert, pour mettre à l'aise ce jeune homme pauvre, lui avait posé une ou deux questions relatives à son domaine, la biologie. John Garret a cru bon de se lancer dans de grands discours théoriques pour nous éblouir. Il était plutôt ridicule, le malheureux...

— Ne s'est-il pas isolé dans la chambre de Cecilia Ambroswell, pendant quelques minutes, au terme de son exposé?

Olivia Parker réfléchit quelques secondes.

— C'est exact... c'est Cecilia elle-même qui désirait lui parler en particulier. Elle a dû le sermonner vertement et lui reprocher sa conduite inadmissible.

— Avez-vous entendu des éclats de voix?

— Non, je ne crois pas... J'avoue que nous avions tous bu un peu plus que de coutume. Je ne prétendrais pas que mes facultés n'étaient pas quelque peu amoindries. Néanmoins, si Cecilia avait élevé la voix, je l'aurais remarqué...

— Que fêtiez-vous donc, ce soir-là?

— La réussite aux examens, inspecteur! Le meilleur moment de l'année...

— Pas pour vous, mademoiselle Parker... Vous n'avez plus d'examen à passer.

— En effet... mais j'étais associée à cette joie estudiantine en raison d'une promotion. Je suis à présent titulaire à vie de mon poste.

— Toutes mes félicitations, dit Higgins, passant l'index droit sur le dos d'une magnifique reliure abritant une très ancienne édition de *La Tempête* de Shakespeare. Cette illustre bibliothèque est entre de bonnes mains.

Olivia Parker rosit.

— J'y consacrerai toutes mes forces, inspecteur... pas seulement pour les livres que j'adore, mais aussi pour les jeunes qui viennent travailler ici. Je suis plus âgée que beaucoup d'entre eux, c'est vrai, mais je me sens très proche de leurs préoccupations et de leurs ambitions.

— Vous avez aussi l'oreille de Sir Caius, m'a-t-on dit.

Un réel étonnement anima le visage régulier d'Olivia Parker.

— Vous êtes bien informé, inspecteur! Je dispose en effet du privilège d'être fréquemment consultée par Sir Caius sur de nombreux points concernant la vie des collèges. Je... Je...

Olivia Parker chancela, Higgins se précipita, la recueillant dans ses bras au moment où elle s'effondrait.

— Une chaise, superintendant, vite!

Scott Marlow s'exécuta. Higgins fit asseoir la bibliothécaire qui respirait avec difficulté.

— Calmez-vous, mademoiselle. Vous ne risquez rien, vous êtes en sécurité... Si je ne m'abuse, il pèse sur votre conscience un poids dont vous aimeriez vous libérer... Je suis ici pour vous aider.

Olivia Parker leva vers Higgins des yeux reconnaissants. Scott Marlow tenait fermement le dossier de la chaise.

— Comment avez-vous deviné, inspecteur? Oui,

c'est vrai, il y a un événement que... mais ai-je le droit? Ai-je vraiment le droit d'avouer...

Higgins prit la main droite d'Olivia Parker entre les siennes.

— Agissez comme votre conscience vous le dicte, lui recommanda-t-il. Rien ne vous presse. Auprès de ces livres, nous connaissons la vraie sérénité, n'est-il pas vrai?

La bibliothécaire eut un pâle sourire. Sa respiration redevenait normale.

— A la fin de la *party*, commença-t-elle d'une voix sourde qui n'avait plus rien d'affecté, nous nous sommes tous retrouvés sur le seuil de la chambre de Cecilia. Elle nous a mis à la porte et nous sommes partis tous ensemble vers trois heures du matin... du moins je le suppose, car je n'avais plus les idées très claires... quelqu'un a dû donner cette heure-là. Une migraine atroce me faisait battre les tempes. L'alcool, sans doute... je n'ai pas l'habitude de boire. J'ai décidé de me promener un peu avant d'aller me coucher. J'ai tourné en rond dans la cour de St. John's College pendant dix minutes, un quart d'heure peut-être... Je n'avais plus la notion du temps. L'air de la nuit m'a revigorée. A l'instant où je prenais la direction de Trinity College, une vision fugace m'a arrêtée. Un homme s'engouffrait en courant dans l'aile où est située la chambre de Cecilia. Il était entièrement vêtu de noir et portait une casquette de barreur. Tout s'est passé si vite... pourtant, un rayon de lune a éclairé son visage. Son visage...

Olivia Parker se prit la tête dans les mains, terrifiée par ce qu'elle allait révéler.

— Son visage... était celui de Sir Caius Gateway.

La respiration de la bibliothécaire s'accéléra à nouveau.

— Ma raison a vacillé... je n'ai pas cru ce que je voyais. Je suis restée immobile un long moment, puis je me suis précipitée jusqu'à ma chambre.

J'aurais peut-être pu sauver Cecilia, aller à son secours. Aujourd'hui, je me sens coupable!

– Faudrait-il encore que Sir Caius fût bien l'assassin, observa Higgins.

Olivia Parker se leva brusquement. La fureur l'anima.

– Je n'ai jamais dit cela! Jamais!

La bibliothécaire était aussi raide qu'une statue de la justice luttant contre toutes les calomnies du monde.

– Ai-je prétendu le contraire? murmura Higgins, rassurant. Etes-vous seulement certaine d'avoir vu Sir Caius? La nuit, la lune, les vapeurs de l'alcool, la fatigue... N'auriez-vous pas été victime d'une sorte d'hallucination?

Olivia Parker se rassit, incertaine.

– Vous avez peut-être raison, inspecteur. A la vérité, je ne suis plus très sûre de ce que j'ai vu...

– Aimez-vous vous promener en barque sur la Cam, mademoiselle Parker?

La bibliothécaire hésita à répondre. Higgins changeant brutalement de terrain, elle cherchait un nouvel équilibre.

– Non, inspecteur. J'ose confesser que les courses d'aviron m'ennuient. Mon plus grand plaisir, ce sont les promenades à bicyclette dans la campagne. Elles me détendent l'esprit et les nerfs, après de longues journées de travail méticuleux.

– Pardonnez-moi de vous importuner avec une question bien indiscrète... Entre femmes, vous avez peut-être parlé avec Cecilia Ambroswell de mode, de lingerie... Attachait-elle une importance particulière aux sous-vêtements?

Plus que jamais, Scott Marlow se félicitait que Higgins fût en première ligne pour mener ce type d'enquête.

– Elle? Je n'en sais rien. J'espère que oui. Bien des jeunes filles ignorent que la lingerie et les sous-vêtements sont un des éléments essentiels de

la féminité. J'y attache, moi, la plus grande
importance. Cela ne vous paraît-il pas normal,
inspecteur?

La bibliothécaire avait repris sa voix sophisti-
quée.

— Mon avis n'a que peu de valeur, répondit
Higgins, tandis que Scott Marlow s'étranglait.
Avez-vous surpris des conversations sur ce point
entre Cecilia et Jennifer Storey ou Henrietta
Siwell?

— Avec Jennifer Storey, impossible! Elle
n'éprouve d'intérêt que pour les mathématiques.
Elle accepte l'uniforme parce qu'elle ne peut pas
faire autrement. Mais elle ne rêve que de vêtements pratiques et jamais de lingerie féminine.
Henrietta est beaucoup plus élégante... mais c'est
une jeune fille discrète et racée, très pudique, bien
qu'elle adore rire et plaisanter. Non, inspecteur, je
n'ai jamais surpris ce genre de conversation. Cecilia possédait une telle garde-robe, qu'elle renouvelait entièrement chaque semaine, qu'elle n'accordait d'importance à aucun vêtement en particulier.

— Aucune de ces deux jeunes filles n'est fiancée,
n'est-ce pas?

Olivia Parker parut amusée.

— Jennifer est profondément timide. Elle se
croit laide. Elle a tort. Mais cela la pousse à fuir
les garçons et se réfugier dans les études. Henrietta a une passion : le chant. Elle fait sérieuse-
ment sa sociologie, mais sa carrière sera sans
doute ailleurs. L'art lyrique l'attend. Elle est si
jolie, si vivante, si rieuse qu'elle a dû avoir
quelques aventures... mais son emploi du temps
est trop serré pour lui offrir l'occasion d'une
longue passion. Dans notre petit groupe, c'est
incontestablement celle qui travaille le plus et avec
le plus d'acharnement. Elle a un talent fou. Je lui
prédis la gloire.

— Les divinités vous entendent, approuva Higgins. Je ne vous cacherai pas, étant donnée votre position stratégique à Cambridge, que le cas de John Garret nous pose un problème délicat, au superintendant Marlow et à moi-même.

Olivia Parker parut surprise.

— Pourquoi donc, inspecteur?

— Eh bien, c'est lui qui a découvert le cadavre. Vous a-t-il raconté les circonstances de cette tragique trouvaille?

— A moi? Pourquoi à moi? John Garret est un *scout*, rien d'autre. Je crois bien que nous ne nous sommes jamais adressé la parole.

— Ce garçon semble pourvu d'un grand courage pour réussir ses études et devenir quelqu'un d'important...

— Nous en reparlerons quand il aura réussi, inspecteur! J'ai vu beaucoup d'ambitieux, à Cambridge, et beaucoup d'échecs. Etre dans la position d'un *scout* n'est pas précisément un avantage.

— Mais aujourd'hui, objecta le superintendant, John Garret a perdu son emploi! Ne sera-t-il pas obligé de quitter Cambridge?

— Peu probable, répondit Olivia Parker. Il retrouvera... un employeur. Il jouit d'une bonne réputation, malgré son mauvais caractère et sa prétention. Il remplit fidèlement ses devoirs de *scout* et ne répugne pas à la tâche.

— A-t-il eu des altercations avec Cecilia Ambroswell? demanda Higgins.

— Lui? Jamais. A l'exception de son comportement ridicule pendant cette *party*, Garret sait se tenir à sa place. Il fait les courses, il nettoie, il lave, il porte les livres...

— Miss Ambroswell se montrait d'une dureté excessive envers lui! intervint Scott Marlow que les allures de pimbêche d'Olivia Parker irritaient de plus en plus.

— Dureté excessive? Mais pas du tout! Ce qu'elle exigeait était à peu près normal. Personne

ne le lui reprochait. Pas davantage John Garret
que quiconque.

Le superintendant s'estimait incapable d'émettre un jugement solide sur cette femme. Fonction-
naire zélée? Femme du monde ratée? Etudiante
attardée? Amoureuse refoulée? Sa personnalité
réelle lui échappait.

Higgins ne se lassait pas d'admirer les reliures
protégeant des œuvres immortelles où vivaient à
jamais des pensées échappant à la dégradation et
à l'usure des âges.

— Que pensez-vous du portrait en pied de Cecilia Ambroswell? interrogea l'ex-inspecteur-chef.

— Il est parfaitement fidèle, répondit Olivia
Parker. J'ai regretté d'avoir reproché à Cecilia sa
mégalomanie le soir même de cette maudite
party... mais elle était excessive en tout. Dans
chacune de ses entreprises, elle s'obligeait à aller
jusqu'au bout d'elle-même, et au-delà.

— Elle devait beaucoup s'aimer pour afficher
ainsi son propre portrait...

— Ce n'est pas certain, inspecteur. Cette photographie en couleurs est le résultat d'un des innombrables paris de Cecilia. Elle prenait plaisir à
défier ses proches pour leur prouver qu'elle était
toujours la première, la plus forte, la meilleure.
Jennifer l'avait défiée à son tour en lui affirmant
qu'elle n'oserait pas faire une photographie d'elle-
même grandeur nature. Elle risquait le ridicule et,
plus grave encore, une déformation de sa beauté
dont elle était si fière. Cecilia a fait mieux, comme
d'habitude. Elle a risqué davantage. Elle a agi
dans le plus grand secret jusqu'au jour où elle
nous a dévoilé ce qu'elle appelait son « double ».
Nous avons été subjugués... elle aussi, je crois.

Le regard d'Olivia Parker était devenu rêveur.
Elle revivait ces moments d'émotion où Cecilia
Ambroswell, cessant de jouer les jeunes femmes
insupportables et richissimes, ayant obtenu ce
qu'elle voulait en gagnant son pari, oubliait l'es-

prit de compétition et s'étonnait elle-même. Higgins perçut le trouble de la bibliothécaire de Trinity College ainsi qu'une zone d'ombre qu'il voulut éclaircir.

— Vous avez beaucoup plus d'expérience que les autres amies de Cecilia, dit-il sur son ton de confesseur. Ne vous aurait-elle pas confié un secret qu'elle n'aurait partagé avec personne d'autre?

Olivia Parker vacilla. Le regard de l'ex-inspecteur-chef tentait de percer ses ultimes défenses.

— Un secret? Non, ce n'était pas son genre... Cecilia était une jeune femme démonstrative qui ne cachait rien de ses pensées et de ses sentiments. Je ne sais même pas si le terme de « vie privée » avait un sens pour elle.

— Un caractère entier et une existence limpide, pas de secret, pas de mystères, conclut Higgins. Dans ces conditions, pourquoi un crime? Quelle est votre hypothèse, mademoiselle Parker?

La bibliothécaire se leva de nouveau, sûre d'elle-même, et recommença son travail.

— Ce n'est pas à moi de mener votre enquête, inspecteur.

CHAPITRE 11

Lorsque les deux policiers sortirent de la bibliothèque de Trinity College, la nature avait pris des couleurs d'automne. Ciel pommelé, vent frais, pelouses silencieuses, arbres aux feuillages colorés par un arc-en-ciel... Ce que Higgins appréciait tant, dans le climat anglais, c'était sa faculté de supprimer l'été en quelques heures, de rejeter sa chaleur étouffante et ses teintes trop crues pour revenir au pastel, à l'aquarelle et aux nuances infinies de ce que les météorologistes appelaient le temps variable.

— Encore deux témoins à voir, se plaignit Scott Marlow qui, dès qu'il s'éloignait de son bureau de Scotland Yard, ressentait une lourdeur dans les jambes. J'aimerais bien voir ce comte Herbert... Les portraits qu'on nous a tracés de lui sont plutôt contradictoires... comme toutes les déclarations de nos témoins, d'ailleurs!

— Vos désirs sont des ordres, superintendant. Il ne nous reste plus qu'à trouver où il réside.

Renseignements pris auprès du valet de chambre de Sir Caius, le comte von Wigelstein habitait dans une chambre confortable de Corpus Christi, collège dont l'origine était quelque peu méprisée. Il avait été fondé par deux guildes citadines, celles de Corpus Christi et de Sainte Mary. Une charte royale leur avait permis de s'allier pour fonder un collège, lequel serait la preuve éclatante que la caste des marchands ne voulait pas négliger plus longtemps les bénéfices de l'éducation. Objet d'un pieux dédain de la part des classes cultivées, le Corpus Christi avait rejoint l'élite des autres collèges. Par une ironie du sort, la vieille cour de l'établissement était la seule qui donnât une idée juste de ce qu'était un collège de Cambridge au XIVᵉ siècle et, de plus, sa superbe bibliothèque abritait une inestimable collection de manuscrits enluminés.

Malheureusement, le comte était absent. Un gardien signala aux deux policiers qu'il venait de partir pour le centre ville en Mercedes.

– Nous devrions aller boire quelque chose, proposa Scott Marlow.

– Je vous invite plutôt à rencontrer mon ami John Wipple.

– Est-il mêlé à l'affaire?

– S'il n'a rien perdu de son alacrité, il devrait nous procurer quelques informations intéressantes.

– Qui est ce monsieur?

Higgins fut presque indigné.

– Le directeur de Bowes and Bowes, voyons...

Scott Marlow n'osa pas exiger d'autres précisions. Bowes and Bowes devait être une institution aussi célèbre à Cambridge que le British Museum à Londres.

Désirant éviter un surcroît de fatigue à son collègue, Higgins accepta de prendre un autobus à deux étages dans lequel il grimpa avec délectation. A plusieurs reprises, au cours de ses années d'études, l'ex-inspecteur-chef avait passé de nombreuses heures à parcourir la ligne aller et retour, d'un terminus à l'autre. Installé à l'avant, à l'étage supérieur, il lisait ses manuels d'archéologie en découvrant les toits des vieilles demeures de Cambridge.

L'autobus traversa la place du marché, passa derrière Great St. Mary's et s'arrêta devant Uni-

versity Church. Les deux hommes descendirent.
Quelques pas les conduisirent à l'angle de
St. Mary's Street où Scott Marlow découvrit
l'enseigne de Bowes and Bowes Books.

— Cette librairie a été fondée en 1581, expliqua
Higgins en poussant la porte. C'est la plus vénérable d'Angleterre.

Un silence feutré régnait à l'intérieur de l'au-
guste boutique vouée au culte des ouvrages universitaires et des éditions rares.

Un unique client compulsait un volume épais
tandis que le libraire rangeait des dossiers. L'entrée des policiers fit sursauter l'éventuel acheteur
qui laissa tomber son livre. Higgins le ramassa
aussitôt.

— Merci pour votre aide, déclara l'homme avec
un parfait sourire de circonstance. Permettez-moi
de me présenter : comte Herbert von Wigelstein.
A qui ai-je l'honneur?

— Higgins, de Scotland Yard. Et voici mon
collègue, le superintendant Marlow. Cette rencontre est des plus heureuses. Nous vous cherchions.
Je n'ai pas vu votre Mercedes...

— Je l'ai garée un peu plus loin. Notre ami
libraire déteste qu'on occulte sa façade. En quoi
puis-je vous être utile?

Si Olivia Parker avait des attitudes ampoulées,
le comte Herbert la battait largement dans ce
domaine. La voix avait été travaillée pendant des
années pour parvenir à ce degré de dédain poli, de
suffisance élégante et de mépris aristocratique
envers la plèbe.

Grand, élancé, vêtu d'une veste rouge, d'une
chemise à col ouvert marquée à son blason et d'un
pantalon noir, Herbert von Wigelstein avait une
particularité vestimentaire qui retint aussitôt l'attention du superintendant : il arborait une magnifique épingle de cravate en or décorée d'une tête
de dragon.

Le libraire, John Wipple, petit homme âgé et

trapu, les joues ornées d'abondants favoris, se
dirigea prestement vers Higgins qu'il venait de
reconnaître.

— C'est bien vous, Higgins... de retour ici! Quel
bon vent vous amène?

— Le devoir, mon ami, comme toujours... Pourriez-vous me prêter votre salon privé pendant
quelques minutes?

— Aussi longtemps que vous en aurez besoin...
vous êtes chez vous, comme autrefois!

Higgins convia le comte von Wigelstein à le
suivre, Scott Marlow fermant la marche. L'aristocrate manifesta quelque réticence mais, vaincu par
la bonhomie souriante de l'ex-inspecteur-chef, il
finit par accepter de se rendre dans l'arrière-
boutique de la librairie où avait été aménagé une
sorte de boudoir, avec un bar et quatre fauteuils
de cuir à haut dossier. C'était là que le maître des
lieux avait souvent invité le jeune Higgins pour lui
confier des secrets de bibliophilie et lui montrer
des éditions originales qu'il ne vendrait jamais.

Herbert von Wigelstein s'assit avec désinvolture.

— Ne m'en veuillez pas de prendre mes aises,
inspecteur, déclara-t-il nonchalamment. Voilà plus
d'une heure que je suis debout... comme je ne dors
plus depuis la disparition de ma chère Cecilia, je
me réfugie dans le travail. Je n'ai même plus de
goût pour l'aviron. Je crains que ma vie ne soit
brisée...

Un voile de tristesse obscurcit les yeux vert clair
du comte von Wigelstein.

— Soyez courageux, recommanda Higgins. Le
drame qui vous frappe est épouvantable. Aucun
mot ne saurait diminuer votre affliction. Veuillez
accepter mes condoléances.

Le comte remercia, désabusé, d'un signe de la
main.

— Désolé de vous importuner en ces sombres

moments, continua l'ex-inspecteur-chef, mais vous êtes pour nous un témoin capital.

— Capital... c'est trop d'honneur, inspecteur. Je ne sais rien sur ce meurtre.

— Bien entendu, mais vous avez sans doute enregistré des détails à votre insu... mon rôle est de vous aider à les ramener à votre conscience pour que nous les engrangions. L'un d'entre eux nous mettra peut-être sur la piste de l'assassin.

— Dieu vous entende, inspecteur... Le propriétaire de l'endroit nous autorise-t-il à nous servir un verre?

— Il n'a jamais refusé cette marque d'hospitalité.

Herbert von Wigelstein se leva, brusquement contracté. Une goutte de sueur perla à la racine de ses cheveux. Avec nervosité, il servit trois verres de whisky écossais. Le liquide chaud et ambré permit à Scott Marlow d'oublier quelques instants les rigueurs de l'enquête.

Higgins connaissait dans les moindres détails cette petite pièce sans fenêtre qui constituait une parfaite salle d'interrogatoire. Les paroles et les pensées s'y répercutaient avec une puissance exceptionnelle. Comme il était visible que le comte Herbert était un homme plutôt fragile de caractère, l'ex-inspecteur-chef comptait beaucoup sur cet entretien pour faire progresser sa recherche de la vérité. Son verre à la main, il se mit à déambuler à pas très lents, tournant autour du fauteuil dans lequel s'était à nouveau installé Herbert von Wigelstein.

— Depuis quand étiez-vous fiancés?

— Officiellement, depuis un an... Nos familles ont donné une grande réception pour l'occasion.

— A quelle date était prévu votre mariage?

Herbert von Wigelstein vida son verre et se resservit.

— A quelle date, répéta-t-il, hébété, à quelle date... je n'en sais rien...

– Comment, vous n'en savez rien! s'étonna Scott Marlow. Vous n'alliez pas rester fiancés éternellement!

Le jeune homme poussa un profond soupir.

– Vous ne connaissiez pas Cecilia... elle n'était pas femme à se laisser contraindre par une date. Je suppose que la veille du jour de notre union, ou le matin même, elle m'aurait déclaré, avec son fabuleux sourire : « Aujourd'hui, nous nous marions! Pour les formalités, débrouillez-vous! » Combien de fois ai-je entendu cette dernière phrase? Cecilia ne supportait pas les petits ennuis de l'existence. Il lui fallait trouver quelqu'un pour la débarrasser de ces « formalités »... Ici, à Cambridge, elle avait son *scout*, John Garret, et moi, son fiancé. Quand je lui parlais mariage, elle me répondait : « Herbert, ne soyez pas si réaliste, si terre à terre! Vous manquez de folie, de romantisme! » J'aurais voulu tempêter, protester, mais elle me désarmait par sa beauté et par son charme. Elle finissait par me persuader que j'étais dans mon tort. Je n'ai jamais réussi à avoir le dernier mot sur quelque terrain que ce fût. Mais c'était Cecilia... tous les hommes étaient amoureux d'elle. Et je me consolais en me disant que c'était moi, et personne d'autre, qu'elle avait choisi.

Se tenant juste derrière l'aristocrate, Higgins s'exprima d'une voix douce.

– Pardonnez mon indiscrétion, monsieur le comte, mais j'ai entendu de curieux bruits courir sur votre fiancée... Sa vertu première n'était pas la fidélité, semble-t-il.

Herbert von Wigelstein se tint coi pendant d'interminables secondes, puis il explosa.

– Calomnies! Ragots! Mensonges! C'est une infamie, une...

Le visage de Higgins, qui se tenait à présent juste en face de lui, le paralysa et interrompit le flux de protestations.

— Bon, d'accord, reprit le comte Herbert, subitement calmé, vous l'auriez appris par ses amies Jennifer, Henrietta ou Olivia... Nous avions passé un pacte, Cecilia et moi. Avant notre mariage, elle menait une vie libre, sans tabous ni interdits d'aucune sorte. Mais moi, je devais lui rester fidèle. Le moindre accroc, et c'en était fini de nos projets. Une fois mariés, en revanche, elle ne commettrait plus aucune incartade.

— Et vous l'avez crue?

— Bien sûr. Je l'ai toujours crue, comme tout le monde. Cecilia ne mentait pas. Elle n'avait qu'une parole. Elle était absolue, impitoyable, passionnée mais sincère.

— Et vous êtes resté fidèle, bien entendu...

— Bien entendu! rugit Herbert von Wigelstein. Je n'allais pas gâcher un mariage qui était le but de ma vie!

— Davantage que vos brillantes études?

— Les études, vous savez, c'est à la portée de n'importe qui... Il suffit d'un peu d'astuce. J'ai le don des langues. Alors, j'ai choisi la littérature comparée. Jongler avec Goethe et Shakespeare, Dante et Victor Hugo, c'est un plaisir...

Scott Marlow, qui préférait la lecture du *Sun* à celle de ces vieilles gloires mortellement ennuyeuses, ne voyait pas où était le plaisir. Ce qu'il remarquait, en revanche, c'était le tic de l'aristocrate qui ne cessait de frotter, entre le pouce et l'index, son épingle de cravate en or.

— Il y a quelques jours, dit Higgins, recommençant à tracer un cercle autour du fauteuil où se tenait le comte Herbert, vous vous êtes rendu au pub *The Red Cow*. Vous étiez un peu gris et passablement agressif, ce soir-là...

— Exact, reconnut le jeune homme. Je m'étais disputé avec Cecilia, à propos de la *party* qu'elle comptait donner pour fêter notre succès aux examens. Elle avait l'intention ridicule d'inviter son *scout*, ce pauvre John Garret qu'elle traînait derrière elle comme un boulet. J'ai tenté de l'en dissuader, puisqu'elle ne conviait à cette soirée que ses intimes. Rien n'y fit. Furieux, j'ai eu besoin d'un exutoire.

— C'est tout à fait compéhensible, admit Higgins, mais qui était la femme qui vous accompagnait, dissimulée au mieux pour qu'on ne la reconnaisse pas?

Egaré, Herbert von Wigelstein tenta en vain d'accrocher le regard de l'ex-inspecteur-chef qui continuait son impitoyable ronde.

— Une femme... mais non, j'étais seul...

— Un témoin digne de foi l'a pourtant vue, insista Higgins.

— N'était-ce point Cecilia Ambroswell elle-même? suggéra Scott Marlow.

Un sourire crispé s'imprima sur le visage du jeune homme.

— Mais si... c'était elle. Vous m'avez percé à jour, superintendant... Elle m'attendait dans la Mercedes. « Vous allez faire des bêtises, m'a-t-elle dit, si je ne vous accompagne pas. » Comme elle ne pouvait entrer dans le pub, elle est restée dans la voiture.

— Pourquoi donc se cachait-elle? s'enquit Higgins, intrigué.

— C'était Cecilia, Higgins... Elle agissait ainsi, avec une totale spontanéité, sans se justifier ni s'expliquer. Ce soir-là, elle avait décidé de passer inaperçue. Une heure plus tard, elle aurait peut-être causé du scandale en pleine rue.

Higgins s'immobilisa et prit une voix embarrassée.

— Pardonnez-moi une nouvelle indiscrétion, monsieur le comte, mais... pourriez-vous me dire si Cecilia était une jeune femme attachant beaucoup d'importance à ses sous-vêtements?

Herbert von Wigelstein ricana.

— Je vois où vous voulez en venir, inspecteur... Cecilia a refusé tout contact charnel avec moi avant la nuit de noces. Elle était inflexible sur ce point, même si elle acceptait d'autres aventures. Elle croyait en la valeur sacrée du mariage.

— Merci de votre sincérité, dit Higgins, mais je ne vous en demandais pas tant... Je vous interrogeais vraiment sur l'intérêt que portait votre fiancée à la lingerie.

Herbert von Wigelstein fut plongé dans une réflexion dubitative.

— Elle ne s'y attardait pas plus que sur ses robes et ses chaussures... Cecilia disposait d'une immense garde-robe constamment renouvelée. Elle portait l'uniforme du collège pendant les heures de travail, comme ses condisciples, mais le soir, elle passait des tenues les plus modernes aux tailleurs les plus classiques, selon son humeur. Il suffisait de lui dire qu'elle était magnifique en robe de grand couturier pour qu'elle se déshabillât et enfilât un pantalon de jardin... Elle ne supportait ni blâme ni louange.

« Quelle redoutable enquiquineuse », pensa Scott Marlow qui, du fond du cœur, plaignit le malheureux étudiant d'avoir été obligé de partager le caractère impossible de Cecilia Ambroswell. Mais il reconnaissait en même temps que cet esclavage, dont il était aujourd'hui libéré, faisait du comte Herbert von Wigelstein un suspect de premier plan.

— Peu d'auteurs, sinon aucun, avança Higgins avec circonspection, ont vanté les charmes de la taxidermie. En connaissez-vous un, monsieur le comte?

Herbert von Wigelstein, désarçonné, réagit avec lenteur.

— Vous voulez parler... de l'art d'empailler les animaux?

— C'est cela même.

— Des auteurs... non, je n'en vois pas...

— Et vous-même, vous y êtes-vous intéressé?

Un grand chasseur aime conserver le souvenir de
ses proies.

— Je chasse, d'accord, mais de là à prétendre
être un grand chasseur! C'est une simple tradition
familiale, inspecteur. Je dois savoir jouer au tennis, aux échecs et au bridge, chasser, faire de la
voile et de l'aviron.

— Sir Caius ne vous accompagne-t-il pas assez
fréquemment?

— Un peu malgré lui, je l'avoue... Nous nous
entendons remarquablement, lui et moi, bien qu'il
soit scientifique et moi littéraire. Comme il est fort
occupé, il ne dispose que de rares moments de
loisir. Il a la bonté de m'en accorder quelques-
uns.

Higgins, qui continuait à tourner autour du
comte selon un rythme d'une implacable régula-
rité, avait sorti son carnet noir. Il relut une
annotation.

— C'est étrange, constata-t-il. Comment expliquez-vous cette relation tout à fait privilégiée
entre le Maître de Cambridge et l'un de ses
étudiants, si fortuné et si titré soit-il?

— Le plus simplement du monde, inspecteur!
Sir Caius a soigné ma mère, voilà bien des années, lorsqu'il était un professeur de médecine
renommé. Ils sont devenus des amis intimes. Je ne
vous cacherai pas qu'il a facilité mon installation
à Cambridge où il était heureux de m'accueillir.

— On m'a confié que Cecilia Ambroswell bénéficiait de certains passe-droits et de quelques
largesses pour l'obtention de ses diplômes, et...

— Ne vous donnez pas tant de peine pour
aborder ce sujet, inspecteur. Cambridge a encore
un côté féodal. Les étudiants riches, comme Cecilia et moi, bénéficient de multiples privilèges
pendant les premières années. Je ne nierai pas que
notre nom nous a avantagés, surtout Cecilia qui
traitait ses études avec la même désinvolture que
le reste de son existence. Mais les meilleures

choses ont une fin. La prochaine année universitaire promet d'être impitoyable. Je suppose que Cecilia aurait décroché en cours de route pour annoncer enfin notre mariage.

Higgins s'immobilisa pour prendre des notes puis se pencha vers son interlocuteur.

— Sir Caius ne vous aurait quand même pas refusé sa protection?

— Non, répondit Herbert von Wigelstein, embarrassé, mais c'était à moi de jouer...

Higgins s'installa à son tour dans un fauteuil.

— Quel endroit délicieux, apprécia-t-il. Etre ainsi isolé, au cœur de Cambridge, se trouver dans la partie la plus secrète de la plus raffinée des librairies du globe... Rare privilège, monsieur le comte, ne trouvez-vous pas?

— Si, si, approuva Herbert von Wigelstein, qui croisait et décroisait les jambes.

— Comment s'est terminée cette *party?* interrogea Higgins.

— Nous avions tous beaucoup bu... Quelqu'un a fait remarquer qu'il était 3 heures du matin.

— Qui donc?

— Jennifer... ou Henrietta... ou Cecilia elle-même, je ne m'en souviens pas.

— Pas John Garret?

— Non, c'était une femme, j'en suis sûr, mais laquelle? Cecilia s'est brusquement mise en colère et nous a jetés dehors.

— Vous aussi?

— Moi aussi.

— Personne n'est donc parti avant les autres?

— Nous nous sommes retrouvés ensemble sur le seuil, puis nous nous sommes dispersés pour regagner nos chambres... J'étais incapable d'analyser la situation et de remarquer quelque chose de précis. J'avais une telle migraine que j'ai marché un bon moment, au hasard...

— Aucun détail insolite ne vous a frappé pendant cette promenade?

— Si... j'ai vu Jennifer Storey courir en direction de Queen's College... je me suis dit qu'elle avait une formidable vitalité et qu'elle tenait bien l'alcool pour être capable d'aller aussi droit.

— C'était une nuit de pleine lune, admit Higgins, mais vous reconnaissez vous-même avoir été passablement ivre... Comment pouvez-vous vous montrer aussi affirmatif sur l'identité de cette femme?

— A cause de ses vêtements : un vieux pull troué et un pantalon noir pas très propre. C'est la manière qu'a choisie Jennifer de s'affirmer et d'être provocante. Elle a du mal à supporter l'uniforme. Et ça l'amuse de se faire passer pour une sauvageonne.

— Une remarquable mathématicienne, n'est-ce pas?

— Ah ça oui! La perle de Queen's College. Elle évitait de parler de sa spécialité devant Cecilia.

— Pourquoi donc?

— Parce que mon adorable fiancée lui aurait arraché les yeux. Elle n'aurait pas supporté qu'une de ses amies brillât davantage qu'elle.

— En était-il ainsi avec ses autres amies?

— Bien entendu... mais les occasions de rivaliser n'existaient pas. La petite Henrietta n'a ni la beauté ni l'intelligence de Cecilia. Une acharnée du travail, certes, mais guère de talent.

— Elle fait pourtant partie du chœur de King's College...

— Exact, inspecteur, à cause de sa technique vocale affinée des heures et des heures durant, avec une ténacité incroyable. Il en va de même pour ses études de sociologie. Ce qui est extraordinaire, chez cette fille, c'est sa gaieté. Elle n'a pas une minute à elle, est continuellement sous pression et pourtant. toujours de bonne humeur, prête à faire des blagues et à vous remonter le moral. Une source de jouvence. Ce qui la perdra, c'est son romantisme. Elle croit à l'amour absolu, au rêve éveillé, à la passion immortelle... vous comprenez pourquoi elle plaisait tant à Cecilia.

— Votre fiancée, commenta Higgins, exigeait que ses amies fussent hors du commun : Jennifer Storey, génie des mathématiques et anticonformiste; Henrietta Siwell, romantique absolue et heureuse de vivre en permanence... Qu'en est-il d'Olivia Parker?

— Je vous répondrais volontiers : Olivia Parker elle-même, dit Herbert von Wigelstein, presque compassé. Quand vous la rencontrerez, vous serez ébloui. En tant que bibliothécaire titulaire de Trinity College, elle est l'une des personnalités les plus en vue de Cambridge.

— Elle n'a pas votre âge...

— Elle a plus de trente ans, inspecteur, mais bien davantage de jeunesse dans le cœur que la plupart des étudiantes. Olivia a beaucoup aidé Cecilia à s'intégrer à la vie de Cambridge. Elle ne l'a pas heurtée, n'a pas tenté de modifier son caractère et ses habitudes, mais s'est contentée de lui procurer ces mille et une petites indications qui vous font gagner du temps et vous mettent à l'aise. Je crois aussi qu'elle était la principale confidente de Cecilia. Ma fiancée traversait des périodes de dépression. Henrietta parvenait presque toujours à la distraire. Elle inventait un jeu, l'emmenait danser, elles allaient se promener dans la campagne... mais une ou deux fois, Cecilia a eu recours à Olivia. Elles ont longuement parlé et Cecilia a retrouvé son équilibre.

— Votre fiancée savait-elle manier des rames?

— Cecilia? Faire du canot ou de l'aviron? Pas à ma connaissance... Elle était douée pour le tennis et l'équitation, mais se promener sur l'eau ne l'intéressait guère.

— Elle ne se passionnait donc pas pour le duel Oxford-Cambridge.

— Mais si! Elle tenait à ce que je figure dans l'équipe et à ce que j'y figure bien. Elle m'imposait même un entraînement sévère dont je me serais volontiers passé.

Pour Scott Marlow, il devenait évident que ce grand jeune homme, plutôt bien fait de sa personne, ne jouissait d'aucune liberté aux côtés de la trop belle Cecilia. Cela avait-il suffi pour le conduire au crime? Le comte Herbert avait une indolence naturelle, une mollesse doublée d'une nervosité apparente qui n'étaient pas propices à une action violente et préméditée. Et s'il avait commandité un complice? Si le meurtre de Cecilia Ambroswell avait été organisé par plusieurs personnes?

— C'est le *scout* de Miss Ambroswell, indiqua Higgins avec gravité, qui a découvert le cadavre. S'est-il isolé avec votre fiancée, dans la chambre de cette dernière, pendant la soirée?

Le comte réfléchit.

— Pendant quelques minutes, en effet... Garret avait fait un esclandre en se lançant dans de pompeux discours scientifiques pour nous éblouir. Le malheureux a été simplement ridicule. Il nous a beaucoup ennuyés. Cecilia l'a réprimandé en privé et lui a ordonné de se taire et de rester à sa place. Il nous a alors laissés en paix et s'est contenté de boire.

— Est-ce un garçon violent, d'après vous?

— Colérique et bagarreur... Il y a un mois, environ, il s'est battu avec un condisciple qui lui reprochait ses origines modestes. Il a fallu toute l'autorité de Cecilia pour étouffer l'affaire et garder son *scout*.

Higgins se leva.

— Je ne vous retiendrai pas plus longtemps, monsieur le comte. Vous êtes libre.

CHAPITRE 12

Dès que le comte Herbert von Wigelstein eut quitté le salon secret du libraire, Scott Marlow vida son verre et apostropha Higgins.

— Mais enfin, Higgins! Pourquoi ne lui avez-vous pas montré l'épingle de cravate en or? Il est évident qu'elle lui appartenait!

— Peut-être, mon cher Marlow, peut-être... en ce cas, il nous aurait affirmé qu'il ne l'avait jamais vue et nous serions demeurés dans l'expectative... exactement comme en cet instant.

Le superintendant chercha en vain un argument qui eût confondu Higgins.

— Il n'en reste pas moins que ce jeune homme me paraît des plus suspect... Il avait un bon motif pour se débarrasser de cette insupportable fian-cée!

— Lequel, superintendant?

— Eh bien... le fait qu'elle soit insupportable, précisément!

Higgins lissa sa moustache poivre et sel, taillée avec une remarquable précision.

— L'argument ne manque pas de poids... Mais vous admettrez qu'un homme qui a été aussi patient pour obtenir le mariage n'aurait guère de raisons pour supprimer sa fiancée.

— Voilà un alibi merveilleux! estima Scott Marlow. Le comte doit s'estimer lavé de tout soupçon parce que la disparition de Cecilia Ambroswell semble être pour lui une catastrophe. Même si elle l'est, n'existerait-il pas un motif assez puissant pour le conduire jusqu'au crime?

— Bien raisonné, approuva l'ex-inspecteur-chef. Je n'ai encore aucune idée sur l'identité de l'assassin, mais je sais déjà que ce crime est extraordinaire. Le mobile ne correspond à rien de connu. Et les témoins nous mentent sur des points de détail qui, lorsqu'ils seront mis à leur place dans la mosaïque, s'avéreront sans doute déterminants.

— Lesquels, Higgins?

— Trop tôt pour le dire, superintendant. Allons remercier notre hôte.

La librairie était déserte. John Wipple époussetait un traité d'horticulture du XVIe siècle qu'il venait d'acquérir à prix d'or dans une vente aux enchères. Il connaissait deux professeurs de Cambridge qui le recherchaient depuis de nombreuses années. La surenchère serait sévère.

— Grâce vous soit rendue pour votre hospitalité, dit Higgins.

— Vous n'avez pas arrêté le comte? demanda John Wipple, détaché.

— Le croiriez-vous coupable?

— Sans opinion, déclara le libraire. Mon ami Petty m'a informé des circonstances du crime, mais nous sommes l'un et l'autre en plein brouillard. Scotland Yard aussi, je suppose.

Scott Marlow, vexé, se haussa du col.

— Scotland Yard cherche, monsieur Wipple, et il trouvera.

— Dieu vous entende, superintendant. Le comportement de cet aristocrate est quand même des plus bizarre...

— Pourquoi donc? demanda Higgins.

— Parce que je le vois ici pour la première fois depuis qu'il a commencé ses études à Cambridge. C'est bien le seul étudiant en littérature qui n'éprouve pas le moindre besoin de lire.

— Ce ne sont pourtant pas les moyens financiers qui lui manquent! appuya Scott Marlow qui trouvait soudain le libraire plus sympathique.

— Oui et non, estima John Wipple qui examinait page après page le manuel d'horticulture qu'aucun défaut ne semblait affliger. La fortune des Wigelstein est beaucoup moins importante qu'on ne l'imagine. J'ai le défaut de m'intéresser à l'évolution des grandes familles européennes... La curiosité du collectionneur! Les Wigelstein ont perdu des sommes considérables en bourse, ces deux dernières années. Le père de Herbert a même été obligé de vendre ses deux châteaux anglais. Les Wigelstein doivent faire grise mine lorsqu'ils rencontrent les Ambroswell!

Un simple regard de Higgins fit comprendre à Scott Marlow qu'il devait sans tarder demander aux services du Yard de vérifier l'état de fortune des Wigelstein.

— Herbert a-t-il quand même un don pour la littérature comparée?

John Wipple ricana.

— Lui? Il a un niveau d'étudiant médiocre de deuxième année... J'ai l'habitude de sonder mes clients. Il n'ira pas loin, vous pouvez me croire... D'accord, il parle à peu près correctement cinq ou six langues, mais ses facultés d'analyse sont médiocres et sa culture générale insuffisante. En passant, je lui ai tendu quelques pièges concernant Calderon, Schiller, Villon... il s'est trompé à chaque fois. Quand vous êtes arrivés, il pataugeait lamentablement dans un manuel de littérature médiévale qu'il consultait dans le mauvais sens. S'il ne portait pas ce nom-là et s'il n'était pas protégé par Sir Caius lui-même, il ne serait plus à Cambridge.

— Connaissiez-vous Cecilia Ambroswell? demanda Higgins.

— Non. Mais j'ai beaucoup entendu parler d'elle. Son mariage avec Herbert von Wigelstein constituait un véritable roman-feuilleton. Un jour oui, un jour non... les humeurs de la demoiselle étaient changeantes. Mais comment échapper à une pareille union que les deux familles souhaitaient? Enfin, surtout les Wigelstein qui avaient besoin de la fortune de Cecilia...

— Quelle est votre hypothèse sur ce meurtre, John?

Le libraire s'humecta les lèvres d'une langue dubitative.

— Une histoire de mœurs, une sordide histoire de mœurs... Cecilia affolait les hommes. Elle était trop belle, trop excitante, elle courait des dangers dont elle n'avait pas conscience. C'est du moins ce que dit la rumeur publique...

— Quel est le nom de cette... rumeur? interrogea Higgins, souriant.

John Wipple grimaça.

— Qu'est-ce qui vous fait croire qu'il s'agit... d'une personne?

— Voyons, John... pas entre nous!

— Vous devriez cesser de lire dans les pensées des gens, Higgins. C'est extrêmement désagréable. Cette rumeur s'appelle... Olivia Parker.

Depuis qu'ils se connaissaient, un grave dilemme opposait Scott Marlow à Higgins. Le premier aimait être assis, le second adorait marcher. L'ex-inspecteur-chef, en effet, était persuadé que son arthrose du genou ne pouvait être améliorée que par une activité physique régulière et non violente. A cette raison médicale s'ajoutait une nécessité technique : c'est en marchant que les idées se mettaient en ordre, que les fils d'une enquête commençaient à se dénouer.

À Cambridge, la promenade avait encore d'autres saveurs. Chaque rue, chaque monument, chaque boutique rappelaient à Higgins des souvenirs d'étudiant. C'est pourquoi, pendant plus de deux heures, Scott Marlow fut contraint de suivre un Higgins silencieux en quête de moments privilégiés de sa jeunesse. Le superintendant savait que, lorsque son collègue était ainsi plongé dans une profonde méditation, aucune force extérieure ne pouvait le contraindre à en sortir.

C'est avec soulagement que Scott Marlow vit Higgins s'arrêter enfin devant la façade de l'hôtel Ivanhoé.

– Nos chambres sont réservées, annonça-t-il.

Les bagages des deux policiers avaient déjà été apportés à l'hôtel. Le patron, qui prenait un malin plaisir à se faire appeler Ivanhoé au point que l'on avait oublié son véritable nom, accueillit Higgins avec une joie sans mélange.

– Le superintendant et toi aurez mes meilleures chambres, révéla-t-il. Pas celles qui donnent sur le carrefour... trop bruyant. Vous serez sur la petite rue, avec les lampadaires. Tout Cambridge ne parle que de votre arrivée ici. Les bruits les plus fous courent sur le meurtre. Certains vont jusqu'à dire qu'on a aussi assassiné Sir Caius, qu'il y a un complot organisé par des étudiants d'Oxford et même que des agents secrets seraient venus dérober les secrets de nos collèges. Rien de tout cela n'est vrai, bien entendu?

Ivanhoé avait froncé les sourcils qu'il avait fournis et épais.

– Bien entendu, répondit Higgins, guilleret. Mais sait-on jamais?

L'hôtelier, vêtu à l'écossaise d'un superbe kilt jaune et mauve, entretenait sa forme physique par de longues courses en solitaire dans la campagne environnante. Le jet de troncs d'arbres était son passe-temps favori et il espérait progresser davantage pour participer au prochain concours des Highlands.

– Encore en train de te payer ma tête! Ce vieil Higgins n'a pas changé!

Ivanhoé n'était pas rancunier. Il entraîna les deux policiers au bar où il leur offrit une pinte de *stout* dont Scott Marlow apprécia la puissante saveur.

— Plaisanteries mises à part, insista Ivanhoé dont la curiosité était proverbiale à Cambridge, tu as bien découvert quelque chose... sinon, tu ne serais plus à la hauteur de ta réputation.

Higgins, les yeux levés vers le plafond du bar, admirait les poutres anciennes qui dataient de la fin du Moyen Age. L'ambiance de la pièce était chaude, amicale. Combien de conversations animées, s'écoulant au rythme des pintes de bière, avaient réuni ici des étudiants promis au plus bel avenir?

— Découvert... c'est beaucoup dire, répondit l'ex-inspecteur-chef. Il y a bien un cadavre, celui de Cecilia Ambroswell, mais y a-t-il un assassin?

Le superintendant et l'hôtelier se regardèrent, stupéfaits.

— Tu ne veux pas dire... que la jeune fille s'est suicidée?

— Difficile de se supprimer en s'assommant soi-même avec un aviron, estima Higgins. Mais avec les femmes, il faut s'attendre à tout. Elles ont le génie du bien comme celui du mal.

Scott Marlow craignit que son collègue ne se lançât dans une série de considérations philosophiques sans aucun intérêt pour l'enquête. C'était l'un des défauts de Higgins qui l'irritait, cette propension à disserter sur de grandes idées dont il n'y avait vraiment rien à tirer. Par bonheur, l'ex-inspecteur-chef s'arrêta là.

— Cette petite Cecilia était une personne plutôt scandaleuse, indiqua Ivanhoé, l'œil égrillard. On ne compte plus le nombre d'hommes, jeunes ou moins jeunes, qu'elle a séduits.

— L'avez-vous rencontrée? demanda Higgins, intéressé.

— Non... elle ne s'aventurait pas en ville. Elle

restait confinée dans l'enceinte de son collège qu'elle ne quittait que pour aller dans l'un ou l'autre des châteaux de ses parents. Mais je la connaissais quand même assez bien.

— De quelle manière?

— Grâce à l'une de ses amies, une étudiante en mathématiques...

— Jennifer Storey?

— Elle-même. Elle donnait des cours particuliers à l'un de mes petits-fils. Je ne suis pas curieux, mais je lui ai quand même posé quelques questions.

— Vous a-t-elle répondu librement? s'enquit Higgins.

— Librement? Que voulez-vous dire?

— Avez-vous eu l'impression qu'elle était gênée ou importunée lorsque vous lui demandiez de parler de Cecilia Ambroswell?

— Pas du tout, assura Ivanhoé. Je n'ai jamais aimé les gens qui font des mathématiques, mais cette petite-là n'a rien de désagréable. Spontanée, naturelle, elle n'a qu'un défaut : la timidité. Je suis persuadé qu'elle se croit laide. Elle se trompe. Bien coiffée et bien maquillée, elle pourrait conquérir tous les cœurs.

« Une *stout* de cette qualité-là, jugea Scott Marlow en dégustant sa bière, je n'en ai pas bu souvent. Les enquêtes à Cambridge ont parfois du bon. »

Higgins semblait dubitatif.

— Que vous a-t-elle appris à propos de son amie Cecilia?

— En réalité, pas grand-chose. Cette petite Jennifer était plutôt discrète. Elle l'aimait bien, son amie milliardaire. Elle n'a porté aucune critique contre elle. Elle regrettait un peu son caractère difficile, ses coups de folie, ses passions violentes qui s'achevaient par des moments de dépression avant une nouvelle exaltation. « Mais c'était Cecilia », ajoutait-elle. Et parce que c'était elle, on lui pardonnait tout. Elle avait une telle présence, un tel magnétisme. Elle était la beauté faite femme, elle était l'intelligence de la jeunesse. Et l'on finissait même par aimer ses défauts.

« Très habile, apprécia le superintendant, et bien dans l'esprit d'une mathématicienne. Elle faisait croire autour d'elle qu'elle éprouvait une affection sans bornes pour une rivale qu'elle détestait. Rivale sur quel terrain? Sur celui de l'amour, probablement. Et si cette Jennifer Storey avait été la maîtresse de Herbert von Wigelstein? Tout s'expliquerait à merveille... » Séduit par sa propre hypothèse, Scott Marlow eut l'espoir, cette fois, de damer le pion à Higgins. Il ne lui manquait plus que les preuves.

— Ne s'est-il produit aucun incident entre vous et Jennifer Storey?

— Non, Higgins, répondit Ivanhoé surpris par cette question. Elle venait, elle donnait son cours, nous échangions quelques mots... ah si, peut-être... mais c'est si peu de chose.

L'œil de l'ex-inspecteur-chef brilla.

— Racontez quand même.

— La semaine dernière, au moment de quitter l'hôtel, elle a laissé tomber son cartable. Le contenu s'est renversé. Il y avait des papiers et un livre assez épais, avec une reliure verte. J'ai voulu l'aider. Quand elle m'a vu mettre la main sur l'ouvrage, elle a bondi. « N'y touchez pas, a-t-elle ordonné. Il est très rare. » Le livre s'était à demi ouvert. J'ai aperçu des planches en couleurs.

— Que représentaient-elles?

— Impossible à dire. En tout cas, ce n'était pas un traité de mathématiques et je n'ai pas compris la raison pour laquelle elle s'énervait ainsi.

Higgins, visiblement contrarié, lissa sa moustache poivre et sel.

— Ce qui m'étonne, confia-t-il, c'est le peu de confidences que vous semblez avoir recueillies sur Cecilia Ambroswell et sur ses proches.

– C'est bien ce qui m'étonne aussi, soupira Ivanhoé. D'ordinaire, Petty, John Wipple et moi-même formons un réseau très efficace auquel rien n'échappe. Sans jamais mettre les pieds dans les collèges, nous savons ce qui s'y passe. Cette fois, ce crime nous a pris totalement au dépourvu. Pas d'indices, pas de suspects... de quoi se décourager. Il ne reste qu'un personnage de jeune et belle milliardaire assassinée sans motif...

– Sans motif, répéta Higgins, comme s'il avait entendu une voix lointaine venant d'un autre univérs.

Les chambres des deux policiers étaient des plus douillettes. Higgins, avant de procéder à ses ablutions vespérales, avait soigneusement rectifié le pli de son pantalon. Puis il avait enfilé sa robe de chambre bleu nuit et absorbé une tisane de thym afin de s'assurer une digestion tranquille, clé d'un sommeil réparateur. L'ex-inspecteur-chef détestait dormir ailleurs que dans la chambre de son cottage, loin de son chat Trafalgar. Mais il faisait contre mauvaise fortune bon cœur et appréciait d'être délivré de la présence de sa gouvernante, Mary.

Allongé sur son lit, Higgins se préparait à savourer un très ancien traité sur la taille des rosiers quand on frappa à sa porte. « Même ici, maugréa-t-il, impossible d'être tranquille. »

Il ouvrit. C'était Scott Marlow.

– Désolé de vous déranger, s'excusa le superintendant. J'espérais que vous ne dormiez pas.

– Une urgence, mon cher Marlow?

– Un souci... Je crois avoir identifié l'assassin et je voudrais votre avis.

– Entrez et prenez le fauteuil. Je m'assieds sur le lit. Et je vous écoute.

Persuader Higgins que l'on avait atteint le but

avant lui nécessitait une formidable dose de courage. Scott Marlow n'en manquait pas, sa conviction étant établie.

— Nous avons découvert l'essentiel, Higgins. Cecilia Ambroswell n'avait plus la moindre intention d'épouser le comte Herbert von Wigelstein. Je ne serais pas étonné d'apprendre qu'il est ruiné. Pour lui, c'était une catastrophe, d'autant plus qu'il avait été constamment humilié par cette femme insupportable. Je ne crois pas un instant qu'il ait respecté son serment de fidélité. Nous connaissons d'ailleurs l'existence d'une autre femme. Je lui ai tendu une fausse perche en le laissant affirmer que sa compagne, qui se dissimulait dans la Mercedes, était Cecilia Ambroswell elle-même. Son mensonge était évident. Il suffit donc de trouver l'identité de la maîtresse du comte qui, pour se l'accaparer, lui a suggéré de se venger. Ils ont probablement agi ensemble ou se sont même assuré d'autres complicités. Tout le monde détestait Cecilia, à mon avis. Le véritable meurtrier, celui qui a organisé le crime, c'est le comte.

— J'ai fait le même raisonnement que vous, avoua Higgins.

Scott Marlow soupira d'aise. Cette fois, son intuition avait fonctionné de manière parfaite.

— Ce qui ne signifie pas que je l'ai retenu, ajouta l'ex-inspecteur-chef.

— Mais pourquoi? s'insurgea le superintendant. Il s'agit d'une vérité simple, logique, aveuglante! Je suis persuadé que ce jeune coq ne résistera pas à un interrogatoire un peu serré.

— Ne brûlons pas les étapes, mon cher Marlow. Gardons l'esprit ouvert à toutes les hypothèses. Et il nous reste au moins deux énigmes importantes à résoudre.

— Lesquelles?

— La première, c'est le livre que dissimulait

Jennifer Storey. Il est indispensable de le retrouver et de savoir ce qu'il contenait.

Scott Marlow trépigna sur place. Comment un détail si infime pouvait-il remettre en question les conclusions d'une enquête?

— Et la seconde?

— La seconde, c'est l'arme du crime. Sur les lieux du meurtre, la police a recueilli la partie de la rame qui a servi à fracasser le crâne de Cecilia Ambroswell. Mais où est cachée la moitié manquante?

CHAPITRE 13

Scott Marlow rêvait qu'il avait regagné son bureau du Yard et qu'il tapait avec nonchalance sur les touches d'un ordinateur ultra-moderne auquel il avait donné à « digérer » l'ensemble des données concernant l'affaire Cecilia Ambroswell. La bonne et compréhensive machine travaillait d'arrache-pied, échafaudant mille et une hypothèses, passant en revue tous les coupables possibles. Soudain, l'ordinateur annonça : résultat.

Le mot magique clignotait.

Dans quelques secondes, Scott Marlow allait connaître le nom de l'assassin et pourrait enfin surpasser Higgins.

Le mot « résultat » s'éteignit, laissant la place à une petite flèche qui traça rapidement un dessin.

Un visage.

Un visage qui se caractérisait par une moustache poivre et sel aux poils finement lissés.

Higgins!

C'était Higgins, l'assassin!

Scott Marlow se réveilla brutalement, se dressant sur son séant.

Devant lui, l'ex-inspecteur-chef, affable.

— Higgins, c'est vous...

— Bien entendu, mon cher Marlow. Pardonnez-moi de vous réveiller si tôt.

Le superintendant jeta un coup d'œil à sa montre. 5 h 21!

– Mais... que se passe-t-il?

– A 6 heures du matin, révéla Higgins, les choristes de King's College font une répétition exceptionnelle, comme chaque année, d'un oratorio de Haendel. Nous aurons l'occasion de rencontrer Henrietta Siwell, le dernier témoin que nous avons à interroger et d'entendre une assez belle musique. Vous avez quelques minutes pour vous préparer... Je vous attends devant l'entrée de l'hôtel.

C'est un Scott Marlow grincheux, mal réveillé, l'esprit embrumé et un Higgins guilleret, allègre et réjoui que virent passer les rues du vieux Cambridge, rarement fréquentées par des policiers du Yard à des heures aussi matinales. Le soleil était caché par des nuages éparpillés dans le ciel. Il faisait frais.

Higgins aimait ces aubes-là, silencieuses et secrètes, où l'esprit vagabondait dans les nuées, accompagnant la lumière naissante. Il lui semblait apercevoir les fantômes aimables des écrivains et des savants qui arpentaient les pelouses humides de rosée à la recherche d'une nouvelle idée. Scott Marlow éternua, saisi par l'humidité. Un stress d'une réelle intensité s'abattait sur lui. La campagne, le manque de sommeil, la musique classique... c'en était trop. Conscient de la profonde injustice du monde alentour et du sacerdoce que constituait le métier de policier, le superintendant se contenta de suivre Higgins à qui nul chemin de Cambridge ne semblait étranger.

La vision de King's College, brusquement éclairé par une clarté presque immatérielle, frappa pourtant d'admiration Scott Marlow. Il y avait, certes, les immenses pelouses, les petits bâtiments du Moyen Age beaux et austères, le grand corps d'édifice plus tardif, mais il y avait surtout l'orgueil du collège, le plus surprenant joyau architectural de Cambridge, l'immense chapelle construite à l'échelle d'une cathédrale. Bien isolée des autres constructions, se dressant dans toute la majesté d'un gothique jetant ses derniers feux, la puissante chapelle de King's College, œuvre du roi Henri VI et de son maître maçon Reginald Ely, avait été fondée en 1446. Elle s'était vite rendue célèbre par son chœur ne comportant, selon les exigences du roi, que seize choristes titulaires.

Higgins repéra au passage les pancartes qui précisaient l'implacable règlement de King's College : interdiction de marcher sur les pelouses sans être accompagné d'un *senior member*, interdiction de laisser circuler une voiture, des animaux, interdiction de pique-niquer, d'allumer un poste de radio, de vendre des marchandises, interdiction de faire de l'*unnecessary noise*, ensemble de bruits inutiles, incongrus et vulgaires qui auraient troublé la quiétude des pierres et la méditation des étudiants.

La chapelle était glaciale. Scott Marlow eut envie d'éternuer, mais le regard désapprobateur de Higgins, prévoyant la catastrophe, l'en empêcha. Se faisant aussi discrets que possible, les deux policiers assistèrent à l'entrée des seize choristes, tous vêtus d'une veste grenat et d'un pantalon noir. Sous la direction du chef de chœur, ils entamèrent l'un des plus beaux passages du *Judas Macchabée* de Haendel. Les voix étaient souples et chaudes. Higgins goûta avec délectation cette musique qui s'exprimait si bien en ce lieu. Scott Marlow, la tête appuyée au mur de la chapelle, luttait à grand-peine contre le sommeil.

A Haendel, succédèrent Palestrina et Purcell dont les Anglais étaient particulièrement fiers et que Higgins n'appréciait qu'à dose modérée. Le superintendant n'y résista pas. Il dormit debout, mais sans ronfler. Higgins le réveilla d'un léger coup de coude quand le concert matinal se termina.

Les choristes, presque tous des jeunes gens, se retiraient avec lenteur et dignité quand Higgins s'approcha du chef de chœur, un homme très maigre âgé d'une cinquantaine d'années.

— Higgins, Scotland Yard, se présenta-t-il. J'aimerais parler à Henrietta Siwell. Pourriez-vous me la présenter?

— Elle est ici... Vous avez de la chance de la trouver.

— Pourquoi donc?

— C'était sa dernière prestation dans cette chorale. Chaque année, je suis dans l'obligation de procéder à des remplacements. Un instant... je vais la chercher.

Le maître de chœur ramena une très jolie jeune fille brune, plutôt petite, aux yeux mobiles soulignés par de longs cils, aux cheveux noirs très longs.

— Vous vouliez me parler, messieurs? demanda-t-elle d'une voix à la fois douce et ferme.

— En effet, mademoiselle, répondit Higgins. Ce cadre est peut-être un peu austère. Accepteriez-vous de faire quelques pas en notre compagnie?

— Bien volontiers. J'adore marcher.

Après avoir pris congé du chef de chœur, Henrietta Siwell, Higgins et Scott Marlow sortirent de la chapelle de King's College pour se diriger vers la pelouse. Lorsque l'ex-inspecteur-chef mit le pied sur le gazon, la jeune fille eut un mouvement de recul.

— Ne craignons rien, dit-il avec un bon sourire. Etant un ancien de Cambridge, je n'enfreins pas le règlement.

Henrietta Siwell sourit à son tour.

— Formidable, inspecteur! Ainsi, vous avez connu les mêmes souffrances que moi!

— Souffrance est un bien grand mot, mademoiselle. Quelques impedimenta, tout au plus, lesquels n'ont pas gâché une multitude de joies grandes et petites devenues aujourd'hui d'excellents souvenirs.

La jeune fille ouvrit des yeux étonnés.

— Vous êtes un optimiste ou un sage... Cambridge fait rarement cet effet-là!

— Vous êtes jeune... plus tard, vous apprécierez.

Scott Marlow, qui n'était pas sensible au charme de la choriste, dont le visage et la silhouette étaient fort éloignés de ceux de la reine Elizabeth II, décida d'intervenir avec une certaine brutalité. Prendre un témoin au dépourvu apportait souvent des indications intéressantes.

— Où étiez-vous le soir du crime, mademoiselle Siwell?

— Mais... ici même, à Cambridge!

— Soyez plus précise, voulez-vous... Vous avez bien assisté à une soirée donnée par Cecilia Ambroswell?

— En effet, avec nos meilleurs amis... Ce fut très gai et follement réussi! Nous formions un véritable clan et voilà que Cecilia...

La tristesse obscurcit le visage enjoué d'Henrietta Siwell qui s'arrêta. Scott Marlow, un peu gêné, n'osa pas troubler son chagrin.

— Miss Ambroswell ne vous avait-elle pas paru bizarre au cours de cette *party?*

La choriste écrasa une larme qui perlait au coin de l'œil gauche et se mit à nouveau en mouvement, progressant vers un saule pleureur dont les longs bras flexibles remuaient en cadence sous la brise, célébrant une danse étrange et vaguement inquiétante.

— Bizarre... sincèrement non. Cecilia était passionnée, pleine de vie, sujette à des sautes d'humeur aussi intenses qu'inattendues... Mais ce soir-là, elle était heureuse de vivre. Même l'incident provoqué par son *scout* n'a pas déclenché la fureur qu'on pouvait supposer.

– Quel incident?

– John Garret a cru bon d'étaler ses connaissances pour se payer la tête de Herbert et nous éblouir. Il n'a pas si mal réussi, d'ailleurs. Ce garçon est un puits de science. Il est très ambitieux, calculateur... à mon avis, il ira loin. Cecilia s'est entretenue quelques minutes avec lui, dans sa chambre. Elle l'a rappelé à plus de raison et tout est rentré dans l'ordre. Pauvre John... Il avait eu le tort d'oublier qu'il n'était qu'un *scout*.

– A quelle heure avez-vous quitté l'appartement de Cecilia Ambroswell? demanda Scott Marlow, avec cet air soupçonneux qui avait fait craquer les nerfs de plus d'un suspect.

La jeune fille, comme si elle était prise en faute, mit la main devant sa bouche.

– Je dois vous confesser que nous avions beaucoup bu et que nos idées n'étaient plus très claires... Quelqu'un a dit qu'il était plus de 3 heures.

– Qui donc?

– Herbert, je crois... En tout cas, cette annonce a déclenché la fureur de Cecilia qui nous a tous jetés dehors.

– Miss Ambroswell était-elle coutumière de ce genre de réaction?

Henrietta Siwell eut un sourire mélancolique.

– De ce genre-là et de n'importe quel autre... Cecilia était totalement imprévisible. Elle ne se comportait jamais comme on l'attendait. Une mauvaise nouvelle pouvait la réjouir, une bonne la déprimer. Elle adorait le soleil et la pluie, la chaleur et le froid, elle les détestait aussi... Elle était la vie, la passion. Celui qui l'a tuée est un monstre.

Henrietta Siwell éclata en sanglots.

Higgins la prit tendrement par les épaules, comme un père consolant sa fille. Il l'emmena doucement de l'autre côté du saule pleureur, là où se trouvait un banc de bois, usé par les ans, sur

lequel des étudiants avaient gravé leur nom. Il la
fit s'asseoir et s'installa à ses côtés. Le banc
n'ayant que deux places, Scott Marlow fut
contraint de rester debout et de prêter une oreille
attentive aux propos échangés.

– Cecilia était votre meilleure amie, n'est-ce
pas?

Henrietta approuva d'un hochement de tête et
sécha ses larmes avec un mouchoir en dentelle.

– Nous avons tellement ri et plaisanté ensemble... Je n'ai pas le droit de me laisser aller comme
ça. Elle ne me l'aurait pas permis... Quand j'étais
triste, elle me redonnait le moral. Quand elle
traversait des moments de dépression, je la met-
tais d'autorité sur un tandem et nous allions
rouler à toute allure sur les petites routes de
campagne. Ou bien j'arrivais chez elle avec un
tourne-disque et nous dansions pendant des heures sur du Count Basie ou des valses viennoises.

Higgins, bien qu'il émît intérieurement un jugement plutôt sévère sur ces styles de musique,
voyait se dessiner de plus en plus nettement un
portrait vivant de la victime. Une certitude, à
présent, l'habitait : plus il se rapprochait d'elle, de
sa manière d'être, plus il s'approchait aussi de
l'assassin.

– N'y avait-il aucun orage entre vous et Cecilia
Ambroswell?

– Bien sûr que si, comme avec tous ses proches... Ce que Cecilia ne supportait pas, c'était la
juste mesure, le bon ton, la mentalité bourgeoise.
Le malheureux Herbert, qui l'aimait pourtant
tendrement, en a fait souvent l'amère expérience.
Un jour elle l'épousait, l'autre non. D'après Cecilia, l'incertitude était le seul moyen de ne pas
étouffer l'amour, de ne pas le réduire à une
habitude.

– Vous vous querelliez donc?

– Nous deux, non... Elle se disputait surtout
avec Olivia Parker quand cette dernière prenait

des airs supérieurs en raison de ses hautes fonctions à Cambridge. Cecilia s'en moquait complètement et elle ne lui accordait pas davantage de considération qu'à ses autres amies, ce qui choquait beaucoup notre estimée bibliothécaire. Moi, elle me jetait dehors ou me jurait que nous ne nous reverrions jamais, que notre amitié était terminée. La journée n'était pas finie qu'elle venait me rechercher. Je boudais, elle tempêtait, je riais et nous tombions dans les bras l'une de l'autre. Notre rituel privé, en quelque sorte.

— Ce bijou lui appartenait-il?

Higgins montra à Henrietta Siwell l'épingle de cravate en or avec le pélican.

— Non. Je ne connais que deux personnes qui portent ce genre de bijou : Sir Caius et Herbert. Les étudiants possèdent parfois des épingles de cravate, mais elles ne sont ni aussi belles ni aussi anciennes.

— Cela signifie-t-il que le propriétaire de cet objet est Sir Caius ou le comte Herbert?

— Non, inspecteur... Je ne l'ai jamais vu sur eux. Il ressemble aux épingles qu'ils affectionnent, voilà tout. Mais pourquoi?

— Eprouvez-vous un goût particulier pour les perroquets, mademoiselle?

Le regard de la choriste fut traversé par une lueur amusée. Une gaieté juvénile l'habitait à nouveau.

— J'ignorais qu'un inspecteur de Scotland Yard aimait plaisanter avec les jeunes filles... à moins qu'il ne s'agisse d'une devinette?

Higgins demeurait d'un sérieux imperturbable.

— Pas le moins du monde, mademoiselle Siwell. Si les perroquets vous demeurent étrangers, peut-être n'en est-il pas de même de l'aviron?

— Je crains que si, inspecteur! Désolée de vous décevoir, mais il y a tant de gens qui se passionnent pour ce sport, ici, que je ne me suis pas ajoutée à la liste! Sir Caius, je le crains, place

l'aviron au-dessus de toutes les autres valeurs
morales. Mon amie Jennifer elle-même a été
contaminée par le virus. Elle va jusqu'à travailler
ses mathématiques en se promenant en barque!

De petits nuages pommelés se disposaient dans
le ciel comme des taches blanches sur un bleu
d'aquarelle. Les branches du saule pleureur exprimaient une sorte de chant plaintif.

— J'ai une question bien indiscrète à vous poser,
mademoiselle... Je suppose qu'avec Cecilia Ambroswell, vous abordiez des problèmes relatifs à
votre garde-robe. Votre amie accordait-elle une
importance particulière à ses sous-vêtements?

Henrietta Siwell ne dissimula pas sa totale
surprise. L'ex-inspecteur-chef n'eut guère de peine
à déchiffrer sa pensée. Elle se demandait à présent
si l'homme du Yard, d'allure si respectable, n'était
pas un satyre.

— Cecilia se moquait de ses sous-vêtements
comme du reste de sa garde-robe! Elle avait
autant de jupes, de corsages ou de soutiens-gorge
qu'elle le désirait, se changeait cinq fois par jour
lorsqu'elle en avait envie, pouvait adopter n'importe quel style de mode...

— Etait-elle aussi... inconstante dans ses études?

— Oh, les études! Cecilia était brillante... mais le
travail régulier, quotidien, ne l'attirait guère.
Jusqu'à présent, elle avait obtenu ses diplômes en
raison de sa forte personnalité et de l'influence de
sa famille. L'année prochaine, la barre aurait
quand même été placée trop haut. Je crois qu'elle
aurait décidé de se marier enfin avec Herbert et de
quitter Cambridge.

— A condition que le comte fût bien le préten-
dant retenu, avança Higgins, énigmatique.

Henrietta Siwell ramena en arrière une mèche
qui lui recouvrait l'oreille gauche.

— Que voulez-vous dire, inspecteur?

— Des bruits divers ont couru sur la moralité de

Cecilia Ambroswell... Elle ne laissait aucun homme indifférent. N'avait-elle pas conquis d'autres cœurs que celui du comte Herbert von Wigelstein?

La jeune fille regarda droit devant elle, comme si elle voyait se reconstituer des souvenirs dans l'eau scintillante de la Cam.

— Comment reprocher à Cecilia d'être la plus belle et d'aimer l'amour? C'est vrai, tous les hommes tombaient à ses pieds. Elle pouvait être odieuse, insupportable, se rendre détestable et pourtant son charme continuait à agir... Personne ne lui résistait, c'est vrai. Mais ce serait une injustice d'accuser Cecilia d'immoralité. Elle vivait ses passions, elle allait jusqu'au bout d'elle-même, sans cynisme, sans arrière-pensée. Elle était pure.

— Comment le comte Herbert subissait-il ces incartades?

— Herbert est un garçon trop bien élevé pour manifester ses peines de cœur. Il attendait son heure. Le mariage était programmé, il devait avoir lieu.

Agitées par le vent, des feuilles du saule effleurèrent l'épaule droite de l'ex-inspecteur-chef. Il s'en empara et les caressa entre ses doigts.

— Et vous-même, mademoiselle Siwell... êtes-vous fiancée?

Un large sourire aux lèvres, la jeune fille dodelina de la tête.

— Je n'ai pas encore trouvé le temps d'être amoureuse, inspecteur! L'art choral, les études et l'amitié ont occupé jusqu'à présent mes jours et mes nuits.

— Quels sont vos projets d'avenir?

— Le chant, la sociologie, et l'histoire... ou tout autre chose! Je ne crois qu'au hasard et à la chance, inspecteur. Et puis vous avez raison... il y a l'amour. Lorsqu'il viendra, je me laisserai envahir et rien d'autre n'existera plus.

– C'est tout le bonheur que je vous souhaite...
Je ne pense pas que John Garret sera le Prince
Charmant.

Henrietta Siwell ne put retenir un éclat de
rire.

– Pardonnez-moi, dit-elle, tout à fait détendue.
J'imaginais autrement les inspecteurs de Scotland
Yard! Vous plaisantez toujours autant? Le pauvre
John est sans doute doté de mille qualités mais j'ai
la faiblesse d'apprécier les hommes qui ont de
l'allure. Me comprenez-vous?

– On n'est jamais trop exigeant, reconnut Higgins. John Garret n'éprouvait-il pas quelque ressentiment à l'égard de Cecilia Ambroswell qui
traitait trop durement son *scout?*

– Sûrement pas! protesta la jeune femme. John
Garret acceptait sa condition. Pour lui, seul Cambridge comptait. Y vivre et y travailler étaient
l'essentiel. Eût-il fallu devenir cantonnier pour
avoir le droit d'y poursuivre ses études, il l'aurait
fait. Il ne jugeait pas désobligeante sa position de
scout. Il connaissait la règle du jeu et le pratiquait
sans rechigner.

– Miss Cecilia ne l'avait-elle pas durement
humilié?

– Pas plus qu'un autre, inspecteur. Cela dépendait de son humeur. Tantôt impitoyable, tantôt
délicieuse... Il y a deux mois, environ, elle lui a
demandé d'aller lui acheter des mangues, juste
avant le début d'un cours. John a dû faire toutes
les boutiques de Cambridge pour en trouver quelques-unes en conserve. Lorsqu'il est revenu, il
avait manqué son cours. De plus, Cecilia,
furieuse, a piétiné la boîte de conserve sur une
pelouse, devant des dizaines d'étudiants. Ni lui ni
elle n'ont prononcé le moindre mot. Le lendemain, John Garret avait sur son bureau le texte
dactylographié du cours et un traité de biologie
moléculaire d'une valeur de trois cents livres. Il
nous l'a montré avec fierté. Les caprices de Cecilia

ont valu à son *scout* une magnifique bibliothèque spécialisée que lui enviaient bien des étudiants appartenant à des familles aisées. Les humiliations n'étaient pas réservées à John Garret. Moi-même, j'ai été insultée en public, traitée de gamine attardée, de chanteuse d'opérette, et je me suis enfuie en me jurant de faire payer ça à Cecilia. Laquelle, deux heures plus tard, faisait déposer chez moi les partitions de l'œuvre complète de Purcell. Un soir, chez Sir Caius, lors d'une remise officielle de diplômes, elle a jeté au visage de Herbert le contenu d'une coupe de champagne puis a éclaté de rire en voyant le visage déconfit de son fiancé et la mine scandalisée de Sir Caius. Olivia Parker a été l'objet de mille et une plaisanteries des plus douteuses, allant d'un faux cambriolage de la bibliothèque jusqu'à la remise en cause de sa vertu en plein milieu d'un dîner huppé. Et Jennifer Storey? N'avait-elle pas des raisons d'être furieuse quand Cecilia l'a précipitée tout habillée dans la Cam, sous prétexte qu'elle venait de lui prendre la barque dans laquelle elle désirait monter? C'était un mensonge éhonté, bien entendu. Des anecdotes comme celles-là, je pourrais vous en raconter des dizaines. Cecilia ne ménageait aucun de ses proches. Mais sur eux aussi, son charme opérait. Elle se faisait pardonner par des cadeaux, par son sourire, par sa joie. Et nous savions que nous pouvions tous compter sur elle pour réussir. Cecilia avait le culte de l'amitié. Elle se serait fait tuer pour nous... Oh! Pardonnez-moi!

Henrietta Siwell eut conscience d'avoir proféré une incongruité. Higgins, avec discrétion et célérité, prenait quantité de notes sur son carnet noir.

— Prétendez-vous que Miss Ambroswell était prête à jouer de ses relations pour faciliter la carrière de ses intimes?

— Exactement, inspecteur. Nous étions le clan de Cecilia et Cecilia avait le sens du clan. Nous n'avions guère de souci à nous faire pour notre avenir, à condition de réussir nos études supérieures.

— N'était-ce point la raison pour laquelle vous acceptiez de subir les sautes d'humeur de Cecilia Ambroswell? suggéra Higgins.

— On pourrait le croire, en effet, mais c'est faux. Bien sûr, c'était rassurant de se savoir protégé par une personnalité aussi exceptionnelle que celle de Cecilia. Mais rien ne remplacerait le travail et le succès aux examens et aux concours. Et j'avoue que nous ne pensions guère à tout cela, que nous ne planifiions pas notre avenir... Non, c'était Cecilia elle-même qui nous fascinait. Aurait-elle été pauvre, rien n'aurait été différent. Nous supportions ses défauts parce que nous ne voulions pas la perdre. Et aucun d'entre nous ne se comportait de manière veule ou soumise. Cecilia ne l'aurait pas admis. Nous lui disions ce que nous pensions de ses attitudes trop passionnelles, de ses outrances. Elle acceptait ou refusait, nous écoutait ou nous repoussait, mais nous savait toujours gré de n'être pas un troupeau de moutons.

Le matin prenait peu à peu sa place dans le ciel. Les nuages blancs laissaient la lumière jouer avec leurs formes arrondies.

— Vous ne m'avez pas parlé de Duke, dit Higgins, paternel.

Henrietta Siwell frissonna.

— Le vieux Duke... il me fait peur. On croirait qu'il espionne sans cesse les jeunes filles.

— Y a-t-il eu des plaintes contre lui?

— On dit que oui... Mais Sir Caius a trop besoin de Duke pour l'aviron. Il les étouffe.

— Cecilia a-t-elle été en rapport avec Duke?

— Une seule fois, à ma connaissance. Cecilia avait eu l'idée subite et impérieuse de descendre la Cam en canoë. Elle voulait à tout prix m'entraîner avec elle. Je me sentais fiévreuse et je n'en avais pas la moindre envie. Elle m'a traitée de chiffe molle, m'a juré pour la centième fois que tout était terminé entre nous et m'a quittée dans un état d'exaltation extrême pour aller chez Duke et le mettre à contribution. Contrariée, j'ai suivi le même chemin, quelques minutes plus tard. J'ai eu peur pour elle. Ce Duke est tellement horrible... Je suis arrivée à temps pour assister à la fin d'une violente altercation entre lui et elle. Elle obtenait gain de cause, comme d'habitude. Duke a mis un canoë à l'eau. Cecilia était ravie. Elle l'a remercié en riant, heureuse de lui avoir joué un bon tour puis est partie en courant. Je crois que son seul plaisir avait été de soumettre Duke à sa loi.

Un cygne blanc, au col haut et fièrement dressé, passa sur la Cam, laissant derrière lui un sillage argenté.

— Qu'avez-vous fait après être sortie de l'appartement de Cecilia Ambroswell? demanda Higgins d'un ton presque détaché.

— Eh bien... j'ai regagné ma chambre à King's College. Je ne marchais pas très droit. Il faisait un peu frais, l'air m'a fouetté le visage, mais cela n'a pas suffi à me mettre les idées en place. Mes jambes m'ont portée juqu'à mon lit et je me suis endormie comme une souche.

Higgins consulta ses notes.

— N'avez-vous pas remarqué des ombres suspectes sur votre parcours? N'avez-vous pas eu la sensation d'être suivie?

— Des ombres, sûrement... Suspectes, je n'en sais rien. Si l'on m'a suivie, je ne m'en suis pas aperçue. J'étais ailleurs... Vous paraissez contrarié, inspecteur...

— Non point, mademoiselle... Intéressé, tout au plus. Si vous me parliez davantage de votre amie Jennifer Storey?

— Jennifer? Un génie des mathématiques. Cecilia aimait son talent exceptionnel dans ce domaine. Elle appréciait sa vivacité et son intelligence. Jennifer a presque tout pour être heureuse...

— Presque?

— Elle se croit laide. Cela lui donne la crainte des hommes. C'est idiot... Elle serait très séduisante, si elle s'habillait et se coiffait autrement.

— Il va sans doute pleuvoir, prophétisa Higgins, refermant son carnet noir. Merci pour ce concert matinal, mademoiselle Siwell.

CHAPITRE 14

Les deux policiers progressaient d'un pas rapide vers St. John's College. Higgins semblait soucieux.

— Eh bien, indiqua le superintendant, voilà l'interrogatoire de tous les témoins terminé.

— Vos conclusions en sont-elles modifiées, mon cher Marlow?

— Ma première intuition demeure, Higgins. Inutile d'aller chercher trop loin. C'est le fiancé, Herbert von Wigelstein, qui a tué Cecilia Ambroswell. Cette dernière avait un caractère impossible. Herbert a dû revenir, après avoir été mis à la porte avec les autres, quand la *party* s'est terminée. Excédé, il a exigé le mariage. Elle s'est moquée de lui, une fois de plus. Il s'est énervé et l'a frappée. Pour moi, c'est un drame passionnel.

— Fort bien, admit Higgins. Mais pourquoi Herbert von Wigelstein s'était-il muni d'une rame brisée?

Le superintendant ne pouvait donner d'explication logique à ce détail. C'était l'aspect le plus irritant du caractère de Higgins : il ne voulait rien laisser inexpliqué, ne croyait pas au hasard et à l'approximation qui, pourtant, étaient au cœur de la nature humaine. Il fallait bien reconnaître, cependant, que cette rigueur avait souvent du bon.

– Il n'y a que deux explications possibles, énonça le superintendant, réfléchissant à haute voix. Ou bien le comte Herbert avait prémédité son crime et choisi cette arme si caractéristique pour faire accuser le vieux Duke. Ou bien c'est un complice qui la lui a remise. Si c'est Duke lui-même, il a simulé un vol dans son atelier.

– Intéressant, reconnut Higgins qui éprouvait toujours le même plaisir à fouler les pelouses moelleuses d'un Cambridge désert, abandonné à la solitude de vacances que ne troublaient pas encore les touristes. Comment expliquez-vous la présence de ce perroquet empaillé dont personne ne semble soupçonner l'existence et des sous-vêtements découpés avec tant de soin?

Le superintendant se renfrogna.

– Par l'excentricité de Cecilia Ambroswell. Le perroquet empaillé était sans doute sa dernière lubie. Elle l'avait rangé dans un placard et l'a sorti avant que l'assassin ne revienne. Quant à ces fragments de sous-vêtements, je suis sûr qu'elle les a taillés en pièces dans un accès de rage. Et ne me parlez pas de l'épingle de cravate! Il est évident qu'elle appartient à Herbert von Wigelstein. Il l'a oubliée chez sa fiancée qui avait pris soin de la ranger dans un tiroir.

– Si vous aviez raison, superintendant, tout serait beaucoup plus simple...

Scott Marlow eût aimé que son collègue s'expliquât davantage. Mais Higgins préféra se taire. Le superintendant le sentait troublé, voire incertain.

– Pourquoi marchez-vous si vite, Higgins?

– Parce que le temps presse, mon cher Marlow. Je crains que des indices précieux ne soient détruits ou disparaissent. Il convient d'être rapide pour les recueillir. Sinon, nous risquons fort de ne pas avoir la moindre preuve et d'être dans l'incapacité de confondre l'assassin. Nous avons affaire à forte partie, superintendant, à très forte partie...

L'ex-inspecteur-chef ne prononça plus un mot jusqu'au moment où ils parvinrent au bas de l'escalier menant à la chambre de John Garret. La plaque portait la mention *in*. Le *scout* de Cecilia Ambroswell annonçait ainsi sa présence.

– Je m'en doutais, murmura Higgins.

Il grimpa avec la vélocité d'un jeune homme. Le superintendant avait noté que lorsqu'une enquête l'exigeait, l'ex-inspecteur-chef oubliait son arthrite comme par miracle. Un peu essoufflé, Marlow éprouva quelque peine à suivre son collègue devant lequel s'ouvrait déjà la porte de John Garret à laquelle il avait frappé avec autorité.

L'étudiant, les cheveux fous, pas rasé, portait une robe de chambre élimée.

– Déjà levé, monsieur Garret? s'étonna Higgins.

– Je travaille, inspecteur. A mon âge et dans ma condition, il est préférable de ne pas perdre une minute.

– Pouvons-nous entrer?

– Je n'ai rien à cacher.

Les deux policiers découvrirent un intérieur en désordre. Lit défait, vêtements éparpillés, livres dispersés, certains ouverts sur le parquet... Sur le petit bureau, des notes de travail que l'étudiant était en train de dépouiller. Higgins jeta un œil. Il s'agissait bien d'un cours de biologie dont les passages les plus importants avaient été soulignés.

– Qu'avez-vous bu pendant cette *party*? interrogea l'ex-inspecteur-chef pendant que Scott Marlow, l'imitant, déambulait dans la petite pièce à la recherche d'un indice.

– De l'alcool... Nous avons beaucoup consommé, au-delà du raisonnable, je vous l'ai dit...

– Quelle sorte d'alcool, monsieur Garret?

– Du whisky, je crois...

– Quelle marque?

– Je n'ai pas fait attention.

– Qui l'a acheté?

John Garret, gêné, baissa la tête et se passa la main dans ses cheveux ébouriffés.

– C'est vous-même, n'est-ce pas? En tant que *scout* de Cecilia Ambroswell, vous étiez forcément chargé de faire les courses pour cette réception.

– En effet, reconnut l'étudiant. J'ai acheté les bouteilles à Cambridge.

– La marque du whisky et le nom de la boutique? insista Higgins dont le regard se fit plus perçant.

– J'ai agi machinalement, je ne...

– Ne vous moquez pas de moi, monsieur Garret.

L'étudiant déglutit avec difficulté.

– C'était du Glenn Deveron... J'en ai pris cinq bouteilles chez Parker, dans Parker Street.

– Je vais de ce pas vérifier, monsieur Garret.

Higgins se dirigea vers la porte. John Garret se leva brusquement, comme piqué par une aiguille.

– Non, inspecteur! N'y allez pas!

– Pourquoi donc? s'étonna Higgins en se retournant.

– Parce que... Parce que je vous ai menti.

– Sur quel point, monsieur Garret?

– Cet alcool... je ne l'ai pas trouvé chez un commerçant...

Scott Marlow avait cessé ses investigations. Le climat venait de s'alourdir. La nervosité de John Garret était perceptible.

L'étudiant n'osait pas regarder le policier en face.

– ... mais chez le vieux Duke... Il a une distillerie artisanale.

John Garret avait la bouche trop sèche pour articuler de manière intelligible.

– Je vais vous aider, intervint Higgins. Cecilia Ambroswell vous a donné de l'argent pour acheter une bonne marque. Elle a été large, comme à l'ordinaire, n'accordant pas la moindre importance à ces détails. Cela vous a indigné, vous pour qui la plus petite somme d'argent a son importance. Vous avez eu l'idée d'un négoce qui vous permettrait d'acquérir certains livres supplémentaires dont nous retrouverions facilement la trace dans votre bibliothèque. Vous n'avez prélevé qu'une infime partie de la somme qui vous a été confiée pour acheter du whisky au vieux Duke, vous avez détourné le reste et vous avez collé des étiquettes d'une grande marque sur les bouteilles. C'est bien cela?

Assommé, John Garret ne répondit pas. Scott Marlow, qui comprenait assez bien la réaction de l'étudiant pauvre, ne pouvait cependant lui trouver aucune excuse sur le plan moral.

— Vous reste-t-il au moins une bouteille de ce whisky, monsieur Garret? Je suppose que vous détestez le gaspillage et que vous n'auriez pas abandonné la moindre goutte de ce précieux breuvage...

L'étudiant releva la tête.

— Un fond... vous le voulez?

John Garret se leva, se dirigea vers sa bibliothèque, tira un manuel d'au moins mille pages qui cachait une bouteille portant l'étiquette « Glenn Deveron » et la tendit à Higgins qui la remit aussitôt au superintendant. Ce dernier savait ce qu'il avait à faire : se rendre au poste de police de Cambridge pour donner l'ordre d'analyser le liquide.

— Dans une heure devant le portail de St. John's College, dit Higgins.

Le superintendant parti, Higgins s'assit sur le rebord du lit. Effondré, John Garret s'était accoudé à la minuscule fenêtre de sa chambre.

— Ce comportement douteux, remarqua l'ex-inspecteur-chef, pourrait vous faire renvoyer de Cambridge. Peut-être le passerai-je sous silence, à

condition qu'il n'interfère pas dans l'enquête...
Etes-vous sûr de n'avoir pas proféré d'autres
mensonges, monsieur Garret, ou d'avoir commis
d'autres omissions?

Comme statufié, l'étudiant garda le silence.

– Je suppose que vous êtes d'accord avec les
stoïciens, avança Higgins : l'étude est le meilleur
remède à tous les maux. A bientôt.

Une pluie d'été, fine et légère, arrosait doucement les pelouses de Cambridge. Dans l'emploi du
temps qu'il s'était fixé, Higgins disposait d'un
petit quart d'heure de flottement. Il en profita
pour se rendre en flânant jusqu'à Christ College.
Il croisa un étudiant en uniforme, plongé dans un
recueil de poésies élisabéthaines qu'il récitait à
haute voix et un couple de vieux professeurs venus
glaner quelques souvenirs de jeunesse.

Higgins fut accueilli, dans la Loge du Maître,
par le valet de chambre de Sir Caius Gateway.

– Sir Caius est occupé, déclara-t-il avec com-
ponction.

– Ne pourriez-vous l'avertir de ma présence?

– Impossible de le déranger. Il règle des problèmes administratifs avec des directeurs de collège.
Désirez-vous attendre?

– Ce sera long?

– Au moins une demi-heure, monsieur, lança
le valet de chambre avec dédain. Ou peut-être
davantage.

– Parfait. J'attends.

– En ce cas, veuillez me suivre.

Higgins fut introduit dans le salon voué à la
gloire de la chasse. Il s'assit confortablement,
évitant l'œil glacé du domestique. Dès que ce
dernier se fut éclipsé, l'homme du Yard colla son
oreille contre la porte, écoutant les pas s'éloigner

en faisant gémir les lattes du parquet. Quand le silence s'installa, Higgins entrebâilla la porte.

Personne.

Le valet de chambre s'était bien éloigné.

La vieille demeure somnolait à nouveau.

Higgins sortit un tournevis de sa poche et s'attaqua aussitôt à deux prises, puis à deux lampes, sans abîmer les abat-jour. Il lui fallut une vingtaine de minutes pour les saboter. Il compléta son travail en s'occupant de l'interrupteur principal. Ayant effectué une vérification attentive pour s'assurer que son montage fonctionnerait, l'ex-inspecteur-chef quitta discrètement le logement de fonction du Maître de Cambridge.

Lorsque le valet de chambre, sur l'ordre de Sir Caius, vint chercher le visiteur, il eut deux surprises désagréables.

D'abord, lorsqu'il alluma le salon plongé dans l'obscurité en raison du temps gris, deux lampes claquèrent, provoquant un court-circuit et une panne générale. Ensuite, au mépris des convenances les plus élémentaires, l'ex-inspecteur-chef avait disparu.

Scott Marlow, bien campé sur ses jambes, le regard clair, la poitrine triomphante, attendait Higgins de pied ferme. Ce dernier, toujours ponctuel, arriva à l'heure prévue.

— Le whisky est au laboratoire local, annonça le superintendant. L'ordinateur du Yard a fonctionné à merveille... La fortune des Wigelstein est pratiquement réduite à néant. Des opérations boursières malheureuses, des placements désastreux, des usines en grève... Tout s'est ligué contre eux. Depuis quelques mois, le comte Herbert n'est plus qu'un aristocrate désargenté.

— Information importante, reconnut Higgins,

mais qui ne prouve pas sa culpabilité. D'autres éléments?

— Dans moins d'une heure, nous connaîtrons les propriétaires des empreintes se trouvant sur l'arme du crime.

— Excellent. Allons voir le comte.

La pancarte *out* indiquait que Herbert von Wigelstein était absent.

— Dommage, regretta Scott Marlow. J'aurais bien aimé lui dire deux mots.

— Suivez-moi sans faire de bruit, recommanda Higgins. Nous allons éviter l'entrée principale. Je connais un autre accès.

— Mais enfin, Higgins...

Scott Marlow, dépassé, suivit son collègue qui se déplaçait avec la rapidité silencieuse d'un chat. Passant par une porte dérobée, ils empruntèrent un escalier étroit et délabré qui leur permit d'accéder au palier desservant plusieurs chambres, parmi lesquelles se trouvait celle du comte Herbert.

— Faites le guet, superintendant. J'en ai pour une minute.

— Higgins! protesta Scott Marlow à voix basse, vous n'allez quand même pas entrer par effraction!

— Soyez tranquille, personne ne s'apercevra de rien... Les nécessités de l'enquête avant tout!

Avec l'habileté d'un cambrioleur chevronné, Higgins se servit à nouveau de son étrange tournevis à têtes multiples et ouvrit rapidement la porte de la chambre dont la serrure, il est vrai, était d'un modèle ancien offrant peu de résistance.

— Regardez, mais dépêchez-vous! supplia Scott Marlow, affolé à l'idée d'être surpris.

Higgins eut d'autant moins de peine à satisfaire le superintendant que le salon et la chambre du comte étaient d'une affligeante banalité. Meubles fonctionnels et anonymes, propreté, froideur... un univers sans fantaisie, sans surprise.

A l'exception de deux détails extraordinaires.

L'un dans le salon, l'autre dans la chambre.

Le premier était un petit squelette articulé, sorte de jouet macabre, posé sur une commode d'un goût détestable.

Le second était plus morbide encore : une photographie de Cecilia, clouée au pied du lit, et transpercée d'une plume de perroquet.

En se rendant au poste de police de Cambridge, Higgins révéla à Scott Marlow ce qu'il avait découvert dans la chambre de Herbert von Wigelstein, confortant ainsi la certitude du superintendant quant à la culpabilité du fiancé de Cecilia Ambroswell.

Le rôle du perroquet empaillé s'expliquait enfin. Dans l'esprit détraqué du comte Herbert, qui n'avait pas supporté sa ruine interdisant un fructueux mariage, le volatile avait dû remplir une fonction maléfique. Obsédé par la mort, comme le prouvait la présence du squelette, Herbert von Wigelstein s'était, de plus, englué dans la magie noire en imitant des rites primitifs...

Dans le petit bureau mis à leur disposition, Higgins et Marlow trouvèrent, comme prévu, un rapport du laboratoire du Yard concernant les empreintes décelées sur l'arme du crime, le morceau de rame brisé. Higgins laissa au superintendant le plaisir de découvrir le premier les résultats.

— Ce n'est pas croyable... Pas croyable...

— Que se passe-t-il, superintendant? La liste des suspects que j'avais jointe pour faciliter les recherches a-t-elle été utile?

— Ce n'est pas croyable...

Le superintendant en perdait le souffle.

– Il y a les empreintes de Duke... Duke, c'est son véritable nom... il a été fiché voilà plus de vingt ans pour des agressions contre des jeunes femmes... il y a aussi d'autres empreintes, illisibles, sauf celles... celles...

Le superintendant était en état de choc. Higgins le laissa prendre son temps.

– Sauf celles... de Sir Caius Gateway!

CHAPITRE 15

Scott Marlow s'assit, effondré.

— Sir Caius, un assassin... Avec la complicité de son âme damnée, Duke! Quel abominable scandale!

— Ne concluons pas si vite, recommanda Higgins.

— Vous ne pouvez pas nier l'existence de ces empreintes!

— Pas encore, dit l'ex-inspecteur-chef, énigmatique. Mais cela ne suffit pas pour accuser formellement l'un ou l'autre de ces deux hommes, ou les deux ensemble... Supposez que l'assassin soit une troisième personne qui ait porté des gants?

Le superintendant soupesa le rapport d'expertise comme s'il perdait brusquement toute valeur. Pensif, il laissa résonner en lui les paroles de son collègue.

— Un complot, déclara-t-il. Un complot... C'est la seule explication possible.

— Contentons-nous d'engranger les faits, mon cher Marlow, et le fil directeur apparaîtra de lui-même. Ne laissons pas vagabonder notre imagination. De l'ordre et de la méthode : voilà les armes dont nous avons le plus besoin.

Le superintendant eut envie de répondre vertement à l'ex-inspecteur-chef qu'il ne vagabondait pas et que lui, au moins, s'en tenait strictement aux faits. Mais Higgins avait déjà quitté le local.

Scott Marlow le rejoignit alors qu'il passait la porte du poste de police.

– Où allons-nous, Higgins?

– A Trinity College.

– Voir la bibliothécaire, Olivia Parker?

– Elle, non. Sa chambre, oui.

– Vous n'allez quand même pas...

– Les nécessités de l'enquête, mon cher Marlow.

– Et si elle ne s'était point absentée?

– Aucun risque. A cette heure-ci, elle est en compagnie de ses précieux livres.

– Mais enfin, Higgins, n'est-ce point dangereux et illégal...

– Economisez votre souffle, superintendant. Il nous faut presser le pas. Les indices... Il ne faut pas laisser disparaître les indices!

Scott Marlow se demanda si son collègue ne se laissait pas gagner par quelque obsession inquiétante mais accéléra quand même l'allure. Il n'eut pas le loisir d'apprécier à nouveau la grande cour de Trinity College ni celui de goûter la pureté des lignes de la bibliothèque créée par Wren. Higgins, dont l'excellente mémoire lui permettait de se diriger sans peine dans un Cambridge qui n'avait guère changé depuis l'époque où il était étudiant, alla droit vers l'aile abritant les chambres des personnalités du collège. L'écriteau de rigueur indiquait l'absence d'Olivia Parker.

– Nous devrions renoncer, Higgins, et demander un mandat de perquisition...

– Si les minutes ne nous étaient pas comptées, c'est ce que nous ferions. Vous pouvez donc être rassuré.

Higgins connaissait les entrées les moins visibles et les couloirs les plus obscurs. Atteindre la chambre d'Olivia Parker et y pénétrer furent un jeu d'enfant. Marlow tint à monter une garde vigilante pour éviter tout scandale.

Le domaine d'Olivia Parker, composé d'un

salon, d'une petite chambre et d'une salle d'eau, était à son image : charmant et un peu guindé. La bibliothécaire de Trinity College avait réussi à décorer avec un goût certain ces pièces au carré, austères et froides. Meubles en merisier, moquette vert sombre en pure laine vierge, bibelots de valeur... un soupçon de luxe dans l'univers studieux de Cambridge.

Higgins éprouvait toujours quelque remords à fouiller les affaires d'une femme. C'était l'un des aspects les plus pénibles de son métier de policier, mais comment agir autrement lorsque le devoir lui imposait de progresser vers la vérité?

C'est dans la salle d'eau que l'ex-inspecteur-chef découvrit, sous une serviette de bain, deux soutiens-gorge en dentelle rose et noire marqués aux initiales de Cecilia Ambroswell.

Le troisième gisait en morceaux soigneusement découpés et empilés.

— Qu'en conclure? s'inquiéta Scott Marlow, troublé. Peut-être Olivia Parker éprouvait-elle une jalousie féroce à l'égard de Cecilia Ambroswell au point de lui voler des sous-vêtements de prix et de les détruire...

— Pourquoi donc l'avoir fait dans la chambre de Cecilia Ambroswell? demanda Higgins.

— Oui, pourquoi donc... Nous devrions l'interroger.

— Certes, certes... Mais il nous reste d'autres détails à régler auparavant. Une visite à Duke s'impose. J'aimerais fouiller tranquillement son atelier.

— Ce ne sera pas facile, objecta le superintendant. Il ne doit pas le quitter souvent, ces temps-ci.

— Ne croyez pas cela, mon cher Marlow. Je suis

persuadé qu'il vient d'être appelé pour effectuer une réparation urgente chez Sir Caius.

– Mais si...

Higgins, de son pas alerte, se dirigeait déjà vers Clare College. Le superintendant renonça à savoir comment son collègue avait réussi à obtenir l'information. L'essentiel était de ne point se heurter à Duke dont les colères devaient être redoutables.

La porte de l'atelier était fermée par un lourd verrou rouillé qui ne résista pas longtemps à Higgins. Scott Marlow, moins angoissé à l'idée d'être surpris lors de la fouille d'un pareil endroit, monta néanmoins la garde.

Higgins ne commença pas immédiatement son exploration. Campé au milieu du capharnaüm, il laissa errer son regard sur cet invraisemblable bric-à-brac. Consultant son carnet noir où il avait dessiné un plan de l'atelier en notant l'emplacement des principaux objets, des caisses remplies de clous, des barques entières ou en morceaux, des rames, il constata que rien n'avait été déplacé.

Duke faisait partie de ces êtres qui évoluent dans un désordre savamment organisé et se repèrent à la perfection dans un labyrinthe qui n'apparaît comme tel qu'aux yeux d'autrui.

Higgins refit les mêmes gestes que lors de sa précédente investigation.

C'est sous une lourde caisse qu'il découvrit un objet des plus intéressants.

L'ex-inspecteur-chef remit le verrou dans la position où le propriétaire des lieux l'avait placé puis consulta son oignon.

– Allons à Queen's College, indiqua-t-il. Avec un peu de chance, nous pourrons jeter un œil dans la chambre de Jennifer Storey. A cette heure-ci, elle devrait se promener en barque sur la Cam.

Obligé de suivre l'allure, Scott Marlow s'abandonna à un mouvement de révolte.

— Higgins, c'est insupportable! Vous ne me dites rien sur ce que vous avez découvert chez Duke!

— Jusqu'à présent, superintendant, je ne vous ai pas caché le moindre détail et je n'ai pas l'intention de le faire à l'avenir.

Scott Marlow attendit quelques instants la révélation. Comme elle ne venait pas, il insista.

— Vous n'avez rien trouvé chez le vieux fou?

— Je ne sais pas encore.

— Il y avait donc quelque chose!

— Certes.

— Mais quoi donc? Faut-il vous arracher les mots!

— Ce n'est pas cela... je ne voudrais pas qu'un seul indice égare votre raisonnement.

— Tant que vous n'aurez pas parlé, je ne risque rien!

Higgins réfléchit encore quelques secondes avant de livrer l'information à son collègue.

— Chez Duke, j'ai découvert la partie manquante de l'arme du crime. L'autre morceau de la rame.

Scott Marlow se plaça sur le chemin de l'ex-inspecteur-chef pour le contraindre à s'arrêter.

— Et vous l'avez laissée dans l'atelier! Mais c'est la preuve indubitable que ce sadique est l'assassin! Complètement ivre, il a dû attendre que les invités de la *party* se fussent dispersés pour monter jusqu'à la chambre de Cecilia Ambroswell, forcer sa porte et attenter à sa vertu. Elle a résisté, ils se sont battus, il l'a tuée. A moins que... A moins qu'il n'ait été le complice du comte Herbert et qu'ils n'aient agi ensemble! Quoi qu'il en soit, Duke est mêlé à ce crime. Retournons immédiatement chercher cette pièce à conviction!

— Non, répondit Higgins avec le plus grand

calme, avant de reprendre la direction de Queen's College.

– Duke va faire disparaître cette rame! s'insurgea le superintendant. Si habile fussiez-vous, il s'apercevra que quelqu'un a visité son antre et déplacé la caisse.

Higgins fut sincèrement admiratif devant la pertinence de son collègue.

– Je partage tout à fait votre point de vue, mon cher Marlow et pourtant, nous laisserons cet objet compromettant à sa place.

Scott Marlow batailla encore un peu, redoutant de négliger un indice si essentiel qu'il pourrait, à lui seul, décider du sort de l'enquête. Mais Higgins réussit à le convaincre de s'en tenir, au moins quelque temps, à la méthode du non-agir, si chère au philosophe chinois Lao-Tseu dont l'ex-inspecteur-chef était un lecteur assidu.

A Queen's College, ils furent victimes d'un contretemps. La pancarte annonçait que Jennifer Storey se trouvait dans sa chambre. Higgins emmena le superintendant jusqu'au pont des Mathématiques. De l'autre côté du bras d'eau, ils se dissimulèrent sous le feuillage d'un saule pleureur.

– C'est un admirable poste de guet, déclara Higgins, heureux de fréquenter à nouveau un endroit où il avait passé tant d'heures délicieuses. Quand Jennifer partira en promenade, elle utilisera l'une des barques amarrées à la rive. Prenons notre mal en patience et profitez-en pour vous reposer. Ces marches forcées sont un peu fatigantes.

Le superintendant aurait volontiers quitté sur-le-champ Cambridge, ses pelouses, ses vieilles pierres et ses étudiants. Pourquoi fallait-il encore dépenser tant d'énergie sur le terrain à l'ère de l'informatique et de la police scientifique? Il y avait cette nécessité de discrétion, bien sûr, l'obligation d'éviter un scandale, ce qui rendait impos-

sible le déploiement de tous les moyens dont
disposait New Scotland Yard et que n'entrevoyait
même pas Higgins. Scott Marlow soupçonnait
même l'ex-inspecteur-chef de n'utiliser que du
bout des lèvres les résultats du laboratoire et de se
fier davantage à ses propres notes qu'aux analyses
des experts.

– La voilà, dit Higgins.

Parfaitement dissimulés sous le feuillage, les
deux policiers virent la jeune mathématicienne
passer le pont des Mathématiques, descendre dans
une barque en sifflotant un air à la mode et
s'éloigner sur la Cam d'un preste coup de rame.

– La route est libre, constata Higgins, l'œil
vif.

La chambre de Jennifer Storey était un petit
musée rempli de gadgets, allant de marionnettes
galloises à une sphère céleste mobile en passant
par des chaussons de poupées et des figurines en
porcelaine. Un univers déroutant, une profusion
de petits objets qui avaient envahi le modeste
logis. Higgins se déplaça avec la souplesse d'un
chat pour tout examiner sans rien casser. Dans
une armoire anglo-normande occupant un panneau de la chambre étaient rangés les effets de
Jennifer Storey. De nombreux pantalons, des
jeans, des pull-overs, peu de jupes et de chemi-
siers. Dans le bas de l'armoire, un carton à
chapeaux. A l'intérieur, une quantité de paires de
chaussettes. Tout au fond, un livre.

Un livre épais, avec une reliure verte, comportant de belles planches en couleur.

Un livre consacré aux différentes espèces de
perroquets.

*
**

— J'accepte votre hypothèse, Higgins, selon laquelle ce livre est bien celui que Jennifer Storey tentait de cacher à l'hôtelier... Mais où nous mène cette nouvelle piste?

— Dieu seul le sait, reconnut l'ex-inspecteur-chef. Une mathématicienne s'intéressant aux perroquets est un cas plutôt rare. Lorsqu'un perroquet empaillé a été identifié sur les lieux d'un crime, elle devient un cas exceptionnel. Et lorsque la même mathématicienne tente visiblement de dissimuler son intérêt pour un ouvrage de référence sur ce type de volatile, comme s'il s'agissait d'une passion coupable, elle devient un cas suspect.

— Jennifer Storey, coupable... énonça le superintendant, méditatif. Je ne la vois pas dans la peau d'une criminelle. A moins que... A moins qu'elle ne soit, elle aussi, une complice du comte Herbert! Ce perroquet lui a peut-être servi à attirer Cecilia dans un piège... Bon sang, cette mascarade n'a aucun sens! On se moque de nous, Higgins!

L'ex-inspecteur-chef, qui emmenait son collègue vers King's College, lissa sa moustache poivre et sel.

— Je ne crois pas, mon cher Marlow. Il s'agit d'un plan patiemment élaboré et appliqué avec beaucoup de soin. Son exécution fut si parfaite qu'elle a atteint son but, l'assassinat de Cecilia Ambroswell.

Lorsqu'il vit la masse imposante de la chapelle de King's College, Scott Marlow comprit que son chemin de croix n'était pas terminé.

— La chambre d'Henrietta Siwell, n'est-ce pas? Et si elle ne s'est pas absentée? Ce n'est pas une adepte de la navigation!

— Elle est absente, superintendant. En ce moment, elle chante, à l'intérieur de la chapelle.

Une répétition de *l'ode à Sainte Cecile*. La note de service, affichée à gauche de l'entrée, précisait que les choristes seraient retenus jusqu'à 13 heures.

Pourquoi Higgins remarquait-il toujours des détails que lui, Scott Marlow, ne repérait pas? Il y avait là quelque chose de révoltant, d'injuste, voire de diabolique... En proie à ces sombres pensées, le superintendant éternua. Higgins fronça les sourcils.

— Ne restez pas dans cet état, mon cher Marlow. Un simple rhume peut être annonciateur de troubles graves. Il faut tuer immédiatement les germes nocifs. J'ai sur moi un peu d' « Influenza » de chez Nelson. Absorbez immédiatement quatre granules.

Scott Marlow considéra avec suspicion le petit tube blanc que lui offrait son collègue.

— Ce n'est pas dangereux au moins? Je n'ai pas l'habitude des médicaments...

— Il ne s'agit pas d'un médicament, mon cher Marlow, mais d'un remède. Soignez-vous sans tarder. Nous ferons le point au déjeuner.

Le superintendant avala quatre granules avec anxiété. La marche, la fatigue, les émotions, pas la moindre boisson tonique depuis l'aube... De quoi se ruiner la santé.

La chambre d'Henrietta Siwell offrait un mélange d'ordre et de désordre. Les vêtements étaient correctement rangés, mais des partitions, dont certaines ouvertes, traînaient sur le lit et même dans le cabinet de toilette. La jeune fille avait accroché au mur des reproductions de tableaux romantiques, célébrant la nature, les levers de soleil, les horizons marins, et des portraits de stars de cinéma. Sur son bureau, des ouvrages de sociologie et d'histoire, des cahiers remplis de notes de cours; une photographie représentant deux petites filles, une blondinette aux traits ingrats et une très jolie brunette se tenant par la main; la partition des *Lieder* de Schumann rassemblés sous le titre *L'amour et la vie d'une femme.*

C'est dans la penderie contre une paroi, que Higgins découvrit une paire de ciseaux de couturière, soigneusement collée avec de larges bandes de chatterton.

CHAPITRE 16

Au début de l'après-midi, les deux policiers déjeunèrent dans le salon privé du pub de Petty. Ayant l'estomac dans les talons, Scott Marlow, en dépit d'une légère poussée de fièvre consécutive à son refroidissement, fit honneur à une fricassée de volailles accompagnée d'un gratin de courgettes et d'une pinte de bière brune. Petty, curieux, posa une foule de questions que Higgins éluda avec politesse mais fermeté, orientant la conversation vers des sujets moins délicats, comme la prochaine course d'aviron entre Oxford et Cambridge ou la lutte contre la pollution ambiante qui menaçait de jaunir la pelouse des collèges.

— Vous avez beau dire, observa Petty, ce crime n'est pas ordinaire... Ici, on ne s'occupe plus que de ça... Ce n'est pas de ma faute, remarquez bien! Je n'en ai parlé à personne... Je n'ai même pas dit que vous étiez là... Mais les bruits circulent si vite et les gens sont si bavards... De-ci, de-là, j'ai quand même tenté d'obtenir quelques renseignements sur un tel ou un tel, sur le comte par exemple, ou sur John Garret, ou bien encore sur les amies de Cecilia... Rien de bien intéressant, hélas! Il se confirme que cet aristocrate d'Herbert est un médiocre, Olivia Parker une pimbêche, Jennifer Storey une débrouillarde, Henrietta Siwell une rêveuse et John Garret un ambitieux. Rien de croustillant, rien d'inédit, rien d'insolite,

comme s'il ne s'était rien passé, comme si ces
jeunes gens n'avaient pas été les invités d'une
soirée qui s'est terminée par un meurtre.

Higgins avait écouté Petty avec la plus grande
attention. Son témoignage confirmait l'hypothèse
qui commençait à s'échafauder dans son esprit.
Elle n'en devenait d'ailleurs que plus inquiétante.

— Que comptez-vous faire cet après-midi?
demanda Scott Marlow d'une voix pâteuse.

— D'abord regagner notre hôtel et y goûter le
plaisir indispensable de la sieste. Ensuite, nous
ferons le point.

— J'ai le sentiment que vous n'êtes guère plus
avancé que moi! ironisa Petty.

— La nuit porte conseil, rétorqua Higgins. Je
crois que nous en saurons plus demain matin.

— Moi aussi, peut-être...

— Pourquoi donc, Petty?

— J'ai un grand dîner, ce soir. Plusieurs admi-
nistrateurs de collèges ont invité Sir Caius.

— Ces festivités se termineront-elles tard?
demanda Higgins.

— Autour de minuit... Sir Caius est un homme
ponctuel. Son valet de chambre se transformera
en chauffeur et l'amènera ici à 9 heures. Il l'atten-
dra et, à minuit et une minute, ils seront repar-
tis.

Le superintendant progressa avec peine dans les
rues de Cambridge. Ses jambes étaient en coton.

— Vous n'avez pas l'air à votre aise, mon cher
Marlow.

— La migraine, Higgins... Ma fièvre monte. Il
faut que je me repose. Un peu d'aspirine...

— Reprenez d'abord de l' « Influenza ». Nous
passerons aux drogues après, si nécessaire.

Faisant preuve de bonté d'âme, Higgins n'im-

posa pas de promenade à son collègue bien qu'il
eût envie d'errer au gré de sa fantaisie. Il se
contenta d'un détour par une pharmacie où il
acheta de la tisane de thym. Puis il guida Marlow
jusqu'à l'hôtel Ivanhoé et l'obligea à se coucher
sans plus tarder. Quelques minutes après, le
superintendant avait une bouillotte sur le ventre et
un gant de toilette humide, fleurant bon l'eau de
Cologne, sur le front.

— Dîner très léger, prescrivit Higgins, un bol de
tisane toutes les deux heures et quatre granules
toutes les trois heures. Ivanhoé est prévenu. Il
s'occupera spécialement de vous.

— Et vous-même, demanda Scott Marlow d'une
voix affaiblie, quels sont vos projets?

— Dîner léger également, courte randonnée
pour m'oxygéner et une longue nuit avant de
reprendre l'enquête demain matin de bonne
heure.

— J'espère être debout...

— Sans aucun doute. Ne songez qu'à vous
reposer.

Higgins, qui avait horreur du mensonge, avait
révélé à Scott Marlow ses projets les plus immé-
diats. Il n'était pas entré dans certains détails par
simple souci d'économiser les forces du superintendant. S'il lui avait indiqué, en effet, qu'il
comptait pénétrer par légère effraction dans l'un
des plus prestigieux bâtiments de Cambridge,
Scott Marlow aurait certainement été victime
d'une désastreuse poussée de fièvre.

Higgins s'introduisit dans l'enceinte de Christ's
Collège à 21 heures et 2 minutes. Pour dîner, il
s'était contenté d'un peu de chou rouge et d'endi-
ves au gratin.

La Loge du Maître sommeillait dans son splendide isolement, baignée d'une faible clarté lunaire

qu'occultaient souvent des passages de nuages courant vite dans le ciel. À cette époque de l'année, l'endroit était désert. Higgins, néanmoins, évita l'accès principal et choisit une entrée de service dont les serrures étaient dans un état de vétusté remarquable.

Ce que cherchait l'ex-inspecteur-chef ne se trouvait pas dans le grand salon. Il pouvait exister plusieurs endroits à explorer, mais Higgins misait sur le bureau de Sir Caius. Ce même bureau où, étudiant, il avait été convoqué deux fois pour indiscipline et où il avait dû plaider sa cause tout en observant les moindres détails qu'il avait pris soin de noter dans l'un de ses premiers carnets, alors qu'il ne songeait pas encore à faire carrière à Scotland Yard.

Le bureau du Maître de Cambridge n'avait pas changé. Même table immense couverte de documents, mêmes chaises médiévales à haut dossier, même bibliothèque en chêne, mêmes armoires aux portes grillagées contenant rapports et circulaires concernant tant la gestion que l'avenir des collèges. Il y avait quatre armoires de ce type, disposées contre les murs de la vaste pièce.

Ce fut dans la deuxième que Higgins découvrit une collection d'objets insolites qui jetaient une lumière singulière sur l'enquête.

Une collection d'oiseaux empaillés, un épervier, un faucon pèlerin, une chouette, un pivert, cachés derrière une encyclopédie en vingt volumes.

Higgins prit le temps d'inspecter à fond le bureau, ne trouva aucun autre indice digne d'intérêt et sortit de la Loge du Maître peu après 11 heures du soir. La nuit s'annonçait douce. Le ciel s'était même dégagé, laissant apparaître un manteau d'étoiles.

L'ex-inspecteur-chef songea à son cottage, à

son feu de bois, au fauteuil profond où il s'installait pour lire les bons auteurs, le siamois Trafalgar lové sur ses genoux ou disposé en boule ronronnante tout près de la cheminée. Dégustant un verre de Royal Salute, le whisky à l'arôme incomparable, Higgins se délectait aux accents éternels de *La Tempête* de Shakespeare et des *Noces de Figaro* de Mozart. Le temps se brisait sur les pierres de sa demeure où crépitait le bonheur toujours renouvelé des flammes dansant dans l'âtre.

Ce soir, il en allait autrement. L'homme du Yard, qui estimait nécessaires huit heures de sommeil pour demeurer en parfaite santé, devait déroger à cette loi. Les conséquences seraient désastreuses : retour de l'arthrite, rhume, bronchite peut-être... Pourtant il serait sans doute obligé de veiller une bonne partie de la nuit. Après avoir donné autant de coups de pied dans la fourmilière, ne fallait-il pas s'attendre à des réactions dignes d'attention?

En saine logique, un criminel prend soin de faire disparaître les indices qui pourraient l'accuser. Or, l'assassin de Cecilia Ambroswell avait laissé derrière lui un certain nombre de traces qu'il convenait d'effacer, s'il avait pris conscience de la piste suivie par Scotland Yard. De tous temps, à Cambridge, ceux qui avaient quelque chose à cacher utilisaient le même procédé : jeter l'objet compromettant dans la Cam.

C'est pourquoi Higgins s'installa près du débarcadère de King's College, à l'extrémité de la pelouse qui se trouvait derrière le prestigieux établissement. C'était là, en effet, qu'étaient amarrées des barques plates imitant d'assez loin certaines gondoles vénitiennes. Elles présentaient l'avantage d'être faciles à manier et de glisser sur l'eau sans faire aucun bruit.

Higgins attendit. Il avait la patience du chat, capable d'une torpeur apparente pendant des heures et vif comme l'éclair lorsque la proie passait à sa portée. L'ex-inspecteur-chef ne s'ennuyait jamais. Le spectacle du ciel nocturne, la chanson du vent, les odeurs montant de la terre et des pelouses endormies, suffisaient à lui ravir l'âme. En ces moments de méditation, il laissait les éléments de son enquête se mettre en place d'eux-mêmes, travaillant comme un vieil alchimiste qui place les ingrédients dans son athanor et contemple ensuite la nature accomplir le grand œuvre. Higgins savait qu'il lui manquait encore des indices essentiels pour confondre un assassin d'une habileté diabolique qui avait tissé sa toile avec le génie d'une araignée.

Peu avant minuit, une silhouette progressa vers la berge, à petits pas pressés. Higgins, dissimulé derrière le tronc d'un grand platane, ne tarda pas à reconnaître John Garret, le *scout* de Cecilia Ambroswell. Il tenait un paquet dans la main gauche. Il détacha la plus petite des barques plates, s'empara d'une perche en bois et guida son embarcation vers le centre de la Cam.

S'immobilisant un instant, il jeta le paquet au fond de l'eau.

**

— Comment vous sentez-vous, mon cher Marlow?

— La migraine a disparu, mais je n'ai aucune force... J'ai peur de devoir garder la chambre.

— Il ne faut prendre aucun risque... Commencez la journée par un œuf dur, ne mangez que le jaune et buvez du jus de carotte. Je m'en occupe. Une diète est indispensable.

Le superintendant se sentait si faible et si déprimé, loin de son bureau moderne du Yard, qu'il accepta les conseils de Higgins.

Le petit déjeuner fut morose. Scott Marlow commençait son régime tandis que l'ex-inspec-

teur-chef dégustait d'un excellent appétit un cuis-
sot de chevreuil accompagné de pommes au four
et de petits pois au bacon, le tout arrosé d'un café
noir bien corsé.

Une question fit sortir Scott Marlow de sa
torpeur. Il posa son verre de jus de carotte qu'il
aurait volontiers échangé contre un bourbon et
dévisagea longuement une visiteuse inattendue.

Olivia Parker, la belle bibliothécaire de Trinity
College.

Higgins acheva de savourer sa troisième tasse
de café, bénissant la mémoire d'Ivanhoé qui avait
évité de lui servir du thé, la boisson qu'il détestait
le plus au monde.

— Mademoiselle Parker... Vous semblez en
proie à la plus vive des émotions, dit Higgins en se
levant.

— Inspecteur... Il faut venir tout de suite... Tout
de suite.

— Le temps de mettre un imperméable et je
vous suis. Vous pardonnerez le superintendant. Il
est légèrement souffrant.

Olivia Parker semblait si préoccupée par ses
tourments intérieurs que la santé de Scott Marlow
lui était indifférente. Vexé, le superintendant était,
de plus, furieux de passer à côté d'un nouvel
épisode de l'enquête. Mais cette grippe estivale le
terrassait.

Olivia Parker et Higgins pénétrèrent dans le
Fitzwilliam Museum par le grand portique
romain, fort pompeux, qui marquait l'accès à ce
temple de la culture. Le vicomte Fitzwilliam, mort
en 1816, avait légué à Cambridge de magnifiques
collections d'objets et de tableaux, ainsi qu'une
centaine de milliers de volumes, exprimant le vœu
que ces trésors fussent rassemblés en un musée

dont la construction devait être menée à terme par George Basevi.

En cette période de l'année, le silence qui régnait en ces lieux feutrés était d'une densité saisissante. On osait à peine mettre un pied devant l'autre, de peur de faire un bruit incongru.

Olivia Parker, très pâle sous son léger maquillage, n'avait pas prononcé le moindre mot pendant le trajet, de l'hôtel Ivanhoé au Fitzwilliam Museum. Elle introduisit Higgins dans un petit bureau aux murs couverts de tapisseries flamandes.

— C'est effroyable, inspecteur... Effroyable! Un vol vient d'être commis dans ce musée!

— En quoi ce drame vous concerne-t-il? s'étonna Higgins.

— En l'absence du conservateur, j'avais la responsabilité des collections pour une semaine... Une toute petite semaine, et me voici déshonorée!

Olivia Parker était au bord des larmes. Seul un self-control d'une remarquable qualité l'empêchait de s'effondrer.

— Et qu'a-t-on volé? s'enquit l'ex-inspecteur-chef.

— Un minuscule pistolet à crosse de nacre... Une arme de femme qui mesure une dizaine de centimètres. Et un gros pistolet à crosse d'ivoire. Des modèles du début du siècle.

— En état de marche?

— Je l'ignore. Je ne connais rien aux armes à feu. Je sais seulement que celles-là avaient forcément une immense valeur puisqu'elles étaient conservées ici... Et je serai considérée comme responsable de leur disparition. Ma carrière... Ma carrière est brisée!

— Ne sombrez pas dans le désespoir, recommanda Higgins, paternel. Ces armes ont disparu, certes; peut-être les retrouverons-nous. A condition que vous soyez enfin sincère, mademoiselle Parker.

La belle bibliothécaire regarda l'homme du Yard avec une expression de surprise mêlée d'angoisse.

– Mais... Je vous ai...

– Ne mentez plus. N'étiez-vous pas l'amie intime de Cecilia Ambroswell? Ne vous a-t-elle pas confié, peu de temps avant de mourir, un si lourd secret que vous avez jugé bon de me le cacher, sans doute pour ne pas souiller sa mémoire?

Higgins était un peu honteux de miser sur l'émotion bien réelle d'Olivia Parker pour la pousser dans ses derniers retranchements. Mais l'occasion s'avérait trop tentante.

– J'étais sa confidente, avoua la bibliothécaire, oui, sa confidente... Ce qui arrivait à Cecilia la traumatisait... Je n'ai su quoi lui dire, comment l'aider...

– Que lui arrivait-il donc? demanda Higgins avec douceur.

Olivia Parker hésita longuement, tendue à l'extrême.

– Cecilia était enceinte, inspecteur.

CHAPITRE 17

Olivia Parker demeura frappée de stupeur par ses propres déclarations, réalisant qu'elle venait de trahir son amie défunte.

– Venez, lui dit Higgins, la prenant par la main.

Ils sortirent du bureau pour visiter en toute quiétude les salles désertes du Fitzwilliam Museum, dont les impeccables parquets cirés étaient couverts par endroits de tapis d'Orient. A la vue des tableaux, au contact des vibrations qui en émanaient, Olivia Parker recouvra peu à peu son calme. Higgins avait senti que la jeune femme avait besoin de cette atmosphère-là, que le contact avec des objets rares et précieux était son véritable oxygène.

– Qui est le père, mademoiselle Parker? demanda l'ex-inspecteur-chef sur le ton de la confidence.

– Je l'ignore, inspecteur... Cecilia a refusé d'en parler.

– Ne serait-ce point le comte Herbert?

– Franchement, cela m'étonnerait. Pourquoi en aurait-elle fait mystère? Il suffisait de précipiter le mariage. Non, ce n'est pas lui...

– Cecilia Ambroswell avait-elle consulté un médecin?

L'affolement s'inscrivit sur le visage d'Olivia Parker.

– Vous n'allez quand même pas croire que...
Non, oh non!

– Que pourrais-je croire de si effrayant, mademoiselle Parker? Je suppose que Cecilia Ambroswell, s'interrogeant sur son état, a eu besoin d'une
confirmation et qu'elle a recouru aux services
d'un homme de l'art, compétent et discret.

Malgré de touchants efforts, la bibliothécaire ne
parvenait pas à masquer la panique qui s'était
emparée d'elle.

Ce fut ce comportement insolite qui mit Higgins sur la voie d'une explication possible.

– Cecilia Ambroswell a consulté Sir Caius,
suggéra l'ex-inspecteur-chef. Elle avait confiance
en lui. Suffisamment perspicace pour avoir analysé correctement son caractère, elle savait qu'il ne
parlerait pas et qu'il songerait avant tout à l'honorabilité.

Comme prise en faute, Olivia Parker baissa la
tête.

– Sir Caius n'est pas libre, déclara le valet de
chambre du Maître de Cambridge. Il est impossible de le déranger.

– C'est pourtant ce que vous allez faire, mon
ami, exigea Higgins. Je suis pressé.

Le valet de chambre toisa l'ex-inspecteur-chef
de sa superbe.

– Qui êtes-vous donc, monsieur, pour formuler
de telles prétentions?

– Scotland Yard. Et bien décidé à vous accuser
de complicité de meurtre si vous continuez à
freiner la bonne marche de l'enquête.

Le valet de chambre blêmit.

– Je... Je vais prévenir Sir Caius. Attendez-moi
ici.

– Je vous suis. Conduisez-moi.

– Mais...

Le regard autoritaire de l'ex-inspecteur-chef dissuada le valet de chambre d'insister. Pressant le pas, il l'emmena jusqu'à la porte du bureau de Sir Caius. Higgins frappa et entra.

Le Maître de Cambridge, en robe de chambre, compulsait des dossiers.

— Inspecteur! Que se passe-t-il?

Higgins se tourna vers le valet de chambre.

— Ne collez pas votre oreille contre cette porte, mon ami. Sortez, refermez-la et éloignez-vous.

La mine renfrognée, le serviteur s'exécuta.

— Vous donnez des ordres chez moi? s'étonna Sir Caius.

— Etat d'urgence, se justifia Higgins. Ce que j'ai à vous dire est confidentiel. L'enquête prend un cours inattendu. A quelle date avez-vous diagnostiqué la grossesse de Cecilia Ambroswell?

Les yeux du Maître de Cambridge se figèrent. Des siècles d'éducation lui avaient appris à maîtriser ses émotions. Mais ce choc-là était si rude qu'il ne contrôla pas tout à fait sa réaction.

— De quelle ignominie tentez-vous de m'accuser?

— Ignominie? Accusation? Pourquoi des mots si excessifs, Sir Caius? Je souhaite simplement que vous me confirmiez une information.

Le Maître de Cambridge s'enflamma.

— Une information? La plus basse des calomnies, voulez-vous dire! Des ragots qui n'appellent qu'un total mépris!

Mains croisées derrière le dos, Higgins inspectait le bureau du regard, notamment l'armoire contenant la collection d'animaux empaillés. Les vingt volumes de l'encyclopédie qui la dissimulaient n'avaient pas bougé.

— Vous niez donc, Sir Caius, avoir examiné Cecilia Ambroswell et avoir constaté qu'elle était enceinte?

— Bien entendu, je le nie! Et je vous mets au défi de m'en apporter la preuve! Si vous n'avez pas d'autres inepties à proposer, inspecteur, soyez aimable de disparaître de ma vue!

Ce qu'avait entrepris Higgins risquait fort de se traduire par un échec. Debout sur une barque plate, une gaffe à la main, l'ex-inspecteur-chef fouillait les eaux de la Cam, à l'endroit où John Garret avait jeté son mystérieux paquet. L'ex-inspecteur-chef n'avait plus son agilité d'antan. Ses articulations manquaient de souplesse. L'air de Cambridge, néanmoins, lui redonnait un peu de la vigueur de sa jeunesse. Gardant un œil vif, n'ayant pas besoin de lunettes, Higgins, en dépit du manque de transparence de la Cam, repéra une masse brune immobilisée dans un paquet d'algues. Au troisième essai, l'extrémité de sa gaffe crocheta la ficelle entourant le paquet que l'homme du Yard remonta lentement à la surface.

Higgins ôta la ficelle.

Il vit apparaître l'indice qu'avait voulu faire disparaître John Garret.

Un épais ouvrage à reliure verte, consacré aux perroquets, qui appartenait à la mathématicienne Jennifer Storey.

Son précieux paquet sous le bras, Higgins passa par le Fitzwilliam Museum où Olivia Parker, croyant au miracle, cherchait partout les deux pistolets, espérant qu'ils avaient été mal rangés par un conservateur distrait. L'ex-inspecteur-chef lui demanda de venir à l'hôtel Ivanhoe pour y prendre le café, en compagnie d'Henrietta Siwell et de Jennifer Storey.

Dès son arrivée à l'hôtel, Higgins se rendit auprès de Scott Marlow dont l'état de santé se dégradait.

— Je crois que j'ai une angine, se plaignit le superintendant.

— Normal, mon cher Marlow. C'est la manière dont vous éliminez vos toxines. Diète plus sévère et davantage de tisanes. Soyez sans crainte. Vous êtes en de bonnes mains.

Scott Marlow n'osa pas révéler à Higgins qu'il s'était fait monter une bouteille de bourbon soi-disant destinée à des grogs. Il l'avait dissimulée derrière son oreiller et redoutait la perspicacité de son collègue. Par bonheur, il avait de quoi attirer son attention sur d'autres sujets.

— J'ai deux messages pour vous, Higgins... Le premier provient du laboratoire, le second est un pli cacheté... Je les ai posés au pied du lit.

Le superintendant n'avait pas osé consulter les documents avant leur destinataire. Il espérait que Higgins lui en communiquerait le contenu.

— Le whisky a été analysé, révéla l'ex-inspecteur-chef, lisant le rapport. Un véritable poison pour le foie.

Puis Higgins décacheta le pli qui portait comme mention : « A l'attention de l'inspecteur Higgins. Personnelle et confidentielle ».

— C'est une ordonnance, mon cher Marlow, à l'en-tête du docteur Caius Gateway. Le médicament prescrit est à base de progesterone. Autrement dit, un produit pour faciliter l'évolution heureuse d'une grossesse. Celle de Cecilia Ambroswell...

Devant la mine stupéfaite du superintendant, Higgins fournit les explications indispensables.

— Le père serait-il l'assassin? avança Scott Marlow, fiévreux.

— Encore faudrait-il l'identifier, remarqua Higgins, dubitatif. Quand aurons-nous les résultats de l'autopsie?

— Demain matin, j'espère... J'appelle le labo.

— Excellente idée. Je retourne voir Sir Caius.

C'est de fort mauvaise grâce que le Maître de Cambridge accepta de recevoir l'ex-inspecteur-chef. La vue de l'ordonnance le plongea dans un profond désarroi.

— C'est mon ancien papier à lettres, admit-il. Je ne l'utilise plus depuis des années... Quelqu'un me l'aura volé.

— Ce n'est pas votre écriture?

— Une imitation parfaite! Un faux! Je n'ai jamais rédigé cette ordonnance... On cherche à me nuire!

— Me voici bien embarrassé, avoua Higgins. Tout semble prouver que vous avez reçu Cecilia Ambroswell, constaté sa grossesse et prescrit un remède.

— C'est inexact, inspecteur... Je vous en donne ma parole!

— Ce ne serait pas un crime, au demeurant... Mais vous m'auriez caché un fait essentiel, Sir Caius.

La gorge du médecin se serra.

— Je vous dis la vérité. Vous devez me croire.

— Et pourquoi donc, Sir?

— Parce que je suis le Maître de Cambridge.

Olivia Parker entra seule dans la salle de restaurant de l'hôtel Ivanhoé où Higgins terminait une part de tarte aux myrtilles d'une admirable fraîcheur. La bibliothécaire de Trinity College semblait toujours aussi nerveuse.

— Vos amies ont-elles refusé de vous accompagner? demanda l'ex-inspecteur-chef.

— Non, bien sûr que non... Elles viendront un peu plus tard... Ou plutôt, je les ai précédées. Je voulais...

— Vous vouliez me confier quelque chose?

Olivia Parker approuva d'un hochement de tête. L'ex-inspecteur-chef l'invita à s'asseoir. La salle de restaurant était déserte. Ses boiseries anciennes, ses rideaux à fleurs et la vaste cheminée créaient un climat chaleureux et apaisant.

— Vous devriez goûter à cette tarte, mademoiselle... C'est un petit chef-d'œuvre.

— Je n'ai pas faim, inspecteur... Je ne voudrais pas que vous nous jugiez mal, Henrietta, Jennifer et moi.

— Pourquoi donc?

— Nous avons cédé trop souvent aux caprices de Cecilia, nous avons été faibles... J'ai tenté de la ramener à la raison, mais j'ai échoué. Cecilia avait décidé de faire sortir John Garret de sa réserve. Son *scout* ne croyait qu'au travail, il ignorait l'amour et la passion... Elle a exigé que nous devenions des sirènes, des tentatrices qui arracheraient John Garret à ses études et l'éveilleraient à la vie. Pas par cruauté, inspecteur, mais par défi, par jeu... J'ai essayé de démontrer à Cecilia que ce jeu-là était dangereux. Elle avait la certitude du contraire. Elle croyait agir pour le bien de John Garret. Le pari amusait follement Henrietta et Jennifer.

— Comment cette aventure s'est-elle terminée?

— En queue de poisson, inspecteur... John Garret était beaucoup plus mûr et plus solide que Cecilia ne l'avait imaginé. Je suis persuadée que nos avances ne l'ont pas abusé. A la bibliothèque, un matin, il m'a conseillé, assez vertement, de faire en sorte que cette mascarade se termine. De son côté, m'a-t-il dit, il tentait de gagner un autre pari stupide : mettre Cecilia au travail. Nous avons ri. Henrietta et Jennifer, devant moi, ont reconnu leur échec. Elles n'en furent pas contrariées. Ce n'était qu'un jeu... Par bonheur, le comte Herbert n'a été au courant de rien. Je vous saurais gré, inspecteur, de laisser cet épisode dans le

silence. Puisqu'aucun drame n'est survenu, autant
ne pas ajouter à la douleur des uns et des autres.
Ni Jennifer ni Henrietta n'aimeraient voir étaler
sur la place publique des faits qui seraient une
injure à leur charme.

Higgins n'eut pas à garantir une éventuelle
discrétion à Olivia Parker, car Henrietta Siwell et
Jennifer Storey entrèrent à leur tour dans la salle
de restaurant.

— Pourquoi ne nous as-tu pas attendues, Olivia? interrogea Jennifer, pincée.

— Asseyez-vous, mesdemoiselles, pria Higgins.
Prendrez-vous du café?

Olivia Parker refusa. Henrietta Siwell demanda
du thé. Jennifer Storey accepta le café et se régala
d'une part de tarte.

— Pardonnez-moi cette convocation un peu
brutale, mesdemoiselles, mais elle s'imposait en
raison d'un fait nouveau. Saviez-vous que Cecilia
Ambroswell était enceinte?

Olivia Parker garda les yeux fixés sur sa tasse.
Henrietta et Jennifer se regardèrent.

— Oui, répondit Jennifer, nous le savions toutes
les trois... Olivia avait recueilli la confidence puis
l'a partagée avec nous.

— L'une d'entre vous a-t-elle une hypothèse sur
l'identité du père?

Aucun nom ne fut proposé.

— Pourquoi, mesdemoiselles, m'avoir menti par
omission?

— Par respect pour la mémoire de Cecilia, dit
Henrietta Siwell, émue. Elle est morte... Pourquoi
remuer son passé? Que vous apporterait un nouveau scandale?

— J'ai le devoir d'identifier un assassin, précisa
l'homme du Yard. Le moindre détail m'est indispensable pour comprendre les mobiles du crime.
A part vous trois, qui d'autre était au courant de
cette grossesse?

– Personne, affirma Henrietta Siwell. C'était une affaire de femmes.

Olivia Parker se tut. Elle n'avait pas formellement indiqué à Higgins que Sir Caius avait examiné Cecilia. Ce n'était qu'une idée personnelle qu'elle n'avait point osé partager avec ses amies.

– A l'avenir, mesdemoiselles, ne commettez plus ce genre d'oubli. Je veux bien être indulgent cette fois-ci, mais ne m'en demandez pas davantage.

C'est dans un salon de thé du centre ville, fréquenté par l'aristocratie de Cambridge, que Higgins retrouva le comte Herbert von Wigelstein dont la présence était signalée par celle de sa Mercedes.

Le comte, seul à une table, semblait éméché. Il sirotait une liqueur verdâtre. Indifférent, il regarda l'ex-inspecteur-chef s'asseoir en face de lui.

– J'en ai assez de Cambridge... Quand me laisserez-vous partir?

– Saviez-vous, monsieur le comte, que votre fiancée attendait un enfant?

Herbert von Wigelstein vida son verre.

– C'est complètement absurde... Elle n'aurait pas osé... Mais qui? Qui?

– J'espérais que vous le sauriez. A bientôt, monsieur le comte. Ne quittez surtout pas Cambridge.

John Garret, le nez plongé dans ses livres, n'entendit pas Higgins frapper à la porte de sa chambre. Il fallut que l'ex-inspecteur-chef insistât pour que l'étudiant sortît enfin de son univers.

– Avec la police dans les parages, se plaignit-il, il n'est pas facile de se concentrer...

– Une fois l'assassin identifié, monsieur Garret, vous aurez tout le temps de travailler. Saviez-vous que Cecilia Ambroswell était enceinte?

L'étudiant ne manifesta aucune émotion.

– Cela devait bien finir par arriver... En tout cas, je ne suis pas le père! Voilà au moins une vérité dans cette affaire.

– Il ne faut jurer de rien, monsieur Garret. Je n'ai pas besoin, bien entendu, de vous demander de rester à Cambridge.

Higgins passa la fin de l'après-midi et la soirée dans sa chambre, consultant les notes qu'il avait prises depuis le début de l'enquête. Subsistait en lui un obscur sentiment de malaise, comme si un élément essentiel lui échappait. Un élément que, malgré tous les efforts envisageables, il ne parviendrait pas à identifier sans un concours de circonstances extérieures.

Epuisé par sa grippe, le superintendant avait sombré dans un profond sommeil. Higgins ignorait que ce dernier était dû en grande partie à l'absorption d'une quantité certaine de bourbon.

Higgins, qui s'était contenté pour dîner d'un bouillon de légumes et d'une salade verte, cessa de travailler vers 11 heures. Il butait sur un mur infranchissable. Il décida de goûter aux joies régénératrices du sommeil plutôt que de s'obstiner.

Bien lui en prit, car il fut réveillé dès 6 heures du matin par les appels désespérés que lançait une voix féminine.

– Ouvrez vite, inspecteur! C'est Jennifer! Il faut que je vous parle!

Higgins détestait être ainsi brutalement arraché à un repos bien mérité. D'ordinaire, le siamois

Trafalgar lui léchait l'oreille droite avec délicatesse pour le faire entrer en souplesse dans une nouvelle journée.

L'ex-inspecteur-chef répondit d'une voix un peu bourrue, annonça qu'il arrivait, se leva, enfila une robe de chambre et ouvrit.

Les cheveux mouillés, le visage défait, Jennifer Storey tremblait des pieds à la tête.

— Je crois... Je crois que c'est un crime!

CHAPITRE 18

Higgins invita la jeune fille à entrer dans sa chambre et lui donna une serviette de bain.

— Essuyez vos cheveux, mademoiselle Storey.

— Il y a un cadavre, inspecteur! Sur le pont des Soupirs... Un homme étendu sur le ventre... C'est Duke, je crois... Il faut y aller, tout de suite!

— Les cadavres ont la vertu de ne pas s'enfuir. Séchez-vous et prenez une infusion brûlante. J'appelle Ivanhoé. Pendant ce temps, je m'habille.

Ainsi fut fait. Ivanhoé s'occupa avec diligence de la jeune fille qui ne tint pas en place jusqu'au moment où, en compagnie de Higgins, elle franchit la porte de l'hôtel pour se diriger vers le pont des Soupirs.

Une petite pluie fine s'abattait sur Cambridge que recouvrait une chape de nuages gris. L'été prenait sa tournure habituelle.

— Comment avez-vous découvert le drame?

— J'ai coutume de me lever très tôt, inspecteur, et de m'offrir une promenade en barque. En passant sous le pont des Soupirs, j'ai cru remarquer un détail insolite... Une silhouette derrière les croisillons de pierre, quelqu'un qui m'observait et ne bougeait pas... J'ai regagné la rive. La curiosité l'a emporté sur la peur, je suis allée jusqu'au pont... Et j'ai vu... Un cadavre!

Jennifer Storey ne s'était pas trompée. L'homme était mort et il s'agissait bien du vieux

Duke, tué d'une balle de tout petit calibre en plein front et d'une autre, de beaucoup plus gros calibre, tirée dans la nuque. Ce meurtre ferait au moins une heureuse, pensa Higgins, lorsqu'il découvrit les deux armes du crime, un petit pistolet de collection à crosse de nacre, et un second, de dimensions plus importantes, à crosse d'ivoire, abandonnées par les deux assassins de part et d'autre du corps.

Duke avait cessé de vivre et la carrière d'Olivia Parker était sauvée.

Le légiste situa la mort de Duke aux environs de minuit. Higgins informa Scott Marlow de l'événement. Le superintendant, se sentant encore très faible, préféra garder la chambre une journée de plus quoique les remèdes proposés par Higgins le satisfassent pleinement. Inutile de préciser que Scott Marlow avait obtenu l'oreille favorable d'Ivanhoé, farouche partisan de la méthode dite des « trois chapeaux » pour soigner les refroidissements. Expérimentée avec succès depuis des siècles, elle consistait à placer un chapeau au pied du lit et à faire boire du bourbon au malade jusqu'à ce que ce dernier ait la certitude de voir distinctement trois chapeaux. A cet instant, il était guéri. Marlow n'en était qu'à deux et avait décidé de poursuivre le traitement.

Abandonnant son collègue, Higgins se rendit chez Sir Caius que la nouvelle de la mort de Duke avait profondément affecté. Le Maître de Cambridge semblait avoir perdu toute énergie.

— Cette fois, inspecteur, nous n'éviterons pas le scandale. Un second meurtre à Cambridge! Et ce vieux Duke qui n'avait jamais fait de mal à personne... Sans lui, comment entretenir correctement nos bateaux de compétition? Comment espérer gagner la course contre Oxford?

– Où étiez-vous hier soir à minuit, Sir Caius?

– Mais... Chez moi, inspecteur! J'ai étudié quelques dossiers et je me suis couché de bonne heure. Je ne vois même pas pourquoi je vous donne de telles indications! Vous n'allez quand même pas supposer que...

– Sur ce point, Sir, soyez parfaitement rassuré. Je me suis toujours interdit les suppositions. Elles conduisent fatalement une enquête criminelle dans l'impasse. Je me contente des faits, des déclarations, des oublis et des mensonges. Avec de l'ordre et de la méthode, on peut séparer le bon grain de l'ivraie et cheminer vers la vérité.

– Estimez-vous... être sur la bonne voie?

– Dieu vous entende, Sir.

Le comte Herbert von Wigelstein, à l'heure où Duke était assassiné, se trouvait dans sa chambre et lisait un roman d'espionnage si ennuyeux qu'il s'était endormi à la fin du deuxième chapitre, peu après onze heures. Aucun témoin ne pouvait, bien entendu, confirmer ses dires. Jennifer Storey s'était couchée à dix heures, comme d'habitude, et aussitôt endormie. Henrietta Siwell avait trouvé le sommeil vers dix heures et demie après s'être délectée de la partition du *Messie* de Haendel qu'elle prenait plaisir à recopier de sa main pour mieux la savourer. John Garret avait veillé, selon son emploi du temps rigoureux, jusqu'à une heure du matin, pour avancer encore dans son futur programme d'examens.

C'est à la bibliothèque de Trinity College que Higgins rencontra une nouvelle fois Olivia Parker. La jeune femme, vêtue d'un tailleur jaune pâle et coiffée à la perfection, était de nouveau rayonnante.

– La mort du vieux Duke ne semble guère vous affecter, remarqua Higgins.

– Bien sûr que si, inspecteur... Et puis non, je
l'avoue! Elle m'indiffère. Qui pourrait regretter un
tel personnage?

– Sir Caius éprouve une peine réelle.

– Il pleure sur lui-même et sur Cambridge
inspecteur. Seules les capacités professionnelles de
Duke l'intéressaient. Faites-lui confiance. Le choc
passé, il découvrira un autre Duke.

– J'aurais aimé vous rapporter vos précieux
pistolets aujourd'hui même, déplora Higgins, mais
le laboratoire du Yard tient à les examiner pour
s'assurer qu'ils ne comportent pas d'empreintes
révélatrices. Efforts inutiles, à mon sens.

– Pourquoi?

– Parce que les assassins ont certainement pris
soin de se ganter. Vos armes de collection sont en
parfait état, mademoiselle Parker. Elles n'auront
servi qu'une fois, mais une fois de trop... L'essentiel n'est-il pas que votre carrière soit sauvegar-
dée?

La bibliothécaire rougit.

– Ne croyez pas que seule l'ambition m'anime
inspecteur... J'aime mon travail, les livres, Cambridge. Etre évincée pour une faute que je n'avais
pas commise aurait été si injuste!

– N'y a-t-il pas plus insupportable encore?
suggéra Higgins. Par exemple, être accusé d'un
meurtre que l'on n'a pas commis ou, pis, être un
assassin, demeurer dans l'ombre et profiter de son
crime? Par bonheur, le destin a voulu que Scotland Yard existât.

Higgins consacra son après-midi à une longue
promenade dans les *backs*, les rives de la Cam. La
pluie avait cédé la place au soleil et à un ciel d'un
bleu profond. La lumière du jeune été rendait les
pelouses brillantes. Les saules pleureurs et les
bouleaux ajoutaient une note de tendresse et

d'élégance à un spectacle magique qui préparait si bien l'esprit à l'étude et au recueillement.

L'ex-inspecteur-chef jouit du plus raffiné des plaisirs : revivre une promenade d'étudiant, collège après collège, pierre après pierre, souvenir après souvenir. Il avait besoin de cette purification, de cette remontée dans le passé pour devenir tout à fait libre par rapport aux événements présents. Les heures anciennes ne reviendraient pas mais elles restaient à jamais inscrites dans ces murs, sur ces arbres, au fil de la Cam. C'était l'immense cadeau que Cambridge offrait à ses anciens pensionnaires : figer dans l'éternité les joies de la jeunesse, faire croire à un homme mûr que le temps ne s'était pas vraiment écoulé.

Délivré d'un fantôme de lui-même qu'il laissa s'enfuir au hasard des bâtiments anciens, Higgins put se consacrer aux éléments dispersés de son enquête, se vouer à l'âme de Cecilia Ambroswell qui ne connaîtrait pas la paix tant que son assassin n'aurait pas été identifié.

Cecilia Ambroswell assassinée d'un coup de rame, un perroquet empaillé, une musique de fête devenue chant funèbre, des sous-vêtements découpés, une épingle de cravate en or, Duke tué par balles... Ainsi s'égrenaient les faits dits tangibles, les réalités concrètes qu'il était impossible de contourner. Mais il y avait aussi le comte Herbert von Wigelstein, la bibliothécaire Olivia Parker, la mathématicienne Jennifer Storey, la choriste Henrietta Siwell, le *scout* John Garret, avec leur jeunesse, leurs passions avouées et inavouées, leurs désirs... et leurs mensonges. Hors de ce cercle trônait le Maître de Cambridge, Sir Caius Gateway.

Qui avait fixé les règles de ce jeu mortel? La fin tragique de Duke était-elle liée à celle de Cecilia? Y avait-il un assassin ou plusieurs? Pour répondre à ces questions majeures, il fallait d'abord élucider plusieurs détails insolites apparemment sans rapport avec les crimes.

Higgins était presque sûr de n'avoir rien omis. Mais les éléments ne s'emboîtaient pas les uns dans les autres. La clé d'assemblage manquait. Une clé qu'une seule personne pouvait connaître... Une personne que Higgins aurait dû consulter avec beaucoup plus d'attention.

Il n'était pas trop tard.

Higgins alla à St. John's College et monta jusqu'à la chambre de Cecilia Ambroswell. Il utilisa son passe-partout pour y entrer et s'immobilisa devant le portrait photographique grandeur nature.

La prodigieuse beauté de la jeune fille l'émut jusqu'au tréfonds. Il était gêné de la déranger, de s'introduire chez elle sans lui avoir demandé son autorisation, de troubler le silence auquel elle avait droit. L'ex-inspecteur-chef était fasciné par son rayonnement, par sa jeunesse splendide, épanouie, affirmant sa toute-puissance.

Un courant particulier passa entre Cecilia et lui. Un courant qui dissipa enfin les brumes. Un instant, le sourire de Cecilia fut vivant. Higgins venait de la comprendre, de découvrir sa véritable personnalité, avec ses multiples facettes.

Elle était belle, séduisante au-delà de toute expression, mais aussi intelligente. D'une intelligence insolente qui l'avait conduite au tombeau.

Higgins n'avait jamais eu un goût prononcé pour les documents administratifs et les résultats d'expertise. C'est pourquoi le superintendant fut étonné de son impatience à connaître les résultats de l'autopsie pratiquée sur le corps de Cecilia Ambroswell. L'ex-inspecteur-chef était entré si précipitamment dans sa chambre que Scott Marlow avait à peine eu le temps de dissimuler la bouteille de bourbon grâce à laquelle sa guérison progressait à vue d'œil.

— Je suis encore faible, Higgins, mais j'appelle le Yard...

Les éléments essentiels du rapport d'autopsie furent communiqués au superintendant. Scott Marlow n'en crut pas ses oreilles. Cette enquête défiait le sens commun.

— C'est exactement ce que je pensais, déclara Higgins, soulagé. Cette fois, tout s'explique... Superintendant, j'ai besoin de vous. Nous allons procéder à une confrontation générale. Courage! Dominez votre grippe et convoquez officiellement les protagonistes de cette affaire dans la chambre de Cecilia Ambroswell. Je vous attends là-bas.

— Higgins, ne partez pas comme ça! Qui... Qui est le coupable?

Quittant son lit de douleur et mettant le pied à terre, le superintendant constata qu'il était guéri.

Il avait vu trois Higgins sortir de sa chambre.

**

Cecilia Ambroswell présidait une assemblée particulièrement crispée. Le superintendant avait réussi à trouver des chaises. Higgins avait laissé ses hôtes s'installer à leur guise. Le comte Herbert avait choisi de s'asseoir près de la fenêtre, le plus loin possible du portrait de la défunte fiancée. Olivia Parker, Henrietta Siwell et Jennifer Storey se trouvaient côte à côte, face à leur amie disparue. John Garret avait préféré rester debout, le dos calé contre le mur, près de la porte d'entrée. Quant à Sir Caius, qui avait d'abord vigoureusement protesté avant d'accepter la convocation du superintendant, il avait pris place sur le fauteuil à haut dossier qui servait à la jeune morte de siège de bureau et se tenait en retrait par rapport aux autres.

— Pourquoi cette réunion, inspecteur? Y a-t-il

des faits nouveaux qui justifient un tel cérémonial?

— Je le crois, Sir. Nous allons découvrir ensemble ce qui s'est réellement passé dans cette chambre.

Herbert von Wigelstein fut piqué au vif.

— Vous voulez dire... Identifier l'assassin?

— D'abord rétablir quelques vérités, précisa Higgins, notamment celle qui découle de l'autopsie. Cecilia Ambroswell n'était pas enceinte. Elle était vierge.

CHAPITRE 19

Sir Caius s'adressa à Higgins.

— Par conséquent, inspecteur, toutes les accusations portées contre moi deviennent vides de sens! Permettez-moi de me retirer et de vaquer à mes occupations.

— Désolé de vous contrarier, Sir, mais je dois vous retenir encore quelque temps... Dès que nous aurons établi la vérité, vous serez libéré. Je reconnais le caractère délicat de cette recherche et apprécie à sa juste valeur l'effort que je vous impose à tous, mais n'avons-nous pas le devoir de l'accomplir pour honorer la mémoire de Cecilia Ambroswell, ici présente?

Higgins se tourna vers la photographie en pied. Dans sa robe de soirée, Cecilia accueillit ses invités à qui elle offrait son extraordinaire beauté. Le regard, qui semblait gagner en fierté à chaque minute, était presque insoutenable. Ce portrait, que la jeune femme elle-même avait appelé son « double », prolongeait sa vie, lui conférait une existence différente mais non moins réelle au-delà de la mort physique.

— Deux meurtres, dit Higgins, deux meurtres mystérieux et inexplicables tant que Cecilia Ambroswell n'aura pas livré ses secrets... Elle aimait aller au-delà d'elle-même mais aussi au-delà d'autrui, jouer avec ses proches pour voir s'ils étaient capables de lui résister. C'est pourquoi

elle avait inventé la fable de sa grossesse à laquelle
a cru, la première, la bibliothécaire de Trinity
College. C'est bien exact, mademoiselle Parker?

— Oui, inspecteur.

— Et vous en avez bien informé vos deux amies,
Henrietta et Jennifer?

— Oui.

— Aucune de vous trois, semble-t-il, n'a trouvé
de paroles de réconfort et n'a pu procurer une
aide quelconque à Cecilia.

Un silence gêné s'installa.

— Aucune de vous trois, reprit Higgins, n'a
violé ce petit secret... Aussi le comte Herbert et
John Garret ignoraient-ils cette grossesse, si
fausse fût-elle. C'est bien la vérité?

Les deux hommes demeurèrent muets. Higgins
commença à déambuler dans la pièce, concentré,
ne prêtant attention à personne en particulier.

— Pourquoi donc, interrogea-t-il, Cecilia Ambroswell a-t-elle répandu cette fausse nouvelle?
Sans doute pour faire croire qu'elle était devenue
une vraie femme, qu'elle allait donner la vie, être
enfin responsable. Elle, et elle seule, sans avoir
besoin de quiconque, fût-ce d'un mari. Quel défi!
Quel scandale! Quelle mise à l'épreuve pour ceux
qui prétendaient l'aimer. Quel jeu dangereux, qui
devait s'achever par l'assassinat de celle qui avait
cru en fixer les règles! « Ce crime n'est pas
ordinaire », a observé mon ami Petty, qui connaît
tout Cambridge sur le bout des doigts et récolte le
moindre des ragots. Cette fois, alors qu'il s'agit
d'un meurtre, rien! Pas la plus petite rumeur.
L'affaire s'est déroulée en circuit fermé, si fermé
que l'assassin a parfaitement dosé son action qu'il
avait préparée avec le plus grand soin. Un assassin qui se trouve ici, sur les lieux mêmes de son
crime et parvient à conserver un extraordinaire
sang-froid.

Higgins regardait par la fenêtre qui donnait sur
les pelouses de St. John's College, tournant le dos

à l'assemblée. Il savait que voir les visages des suspects, à cet instant, ne lui aurait rien appris. Ils étaient encore tous capables de maîtriser leurs réactions. Un moment viendrait − du moins l'espérait-il − où il n'en serait plus de même.

L'ex-inspecteur-chef sortit son carnet noir et consulta ses notes.

− Qui était Cecilia Ambroswell? demanda-t-il. Voici la première question difficile à laquelle il me fallait répondre. Ce fut beaucoup plus ardu qu'il n'y paraissait. D'après Olivia Parker, Cecilia était démonstrative, ne cachait rien de ses pensées ni de ses sentiments, n'avait pas de jardin secret. Henrietta Siwell la décrivait comme passionnée, sujette à des sautes d'humeur, imprévisible. Elle était la vie même. Jennifer Storey a également parlé de coups de folie, de son caractère impossible, de ses exaltations et de ses dépressions. Le comte Herbert a précisé qu'elle était absolue, impitoyable, incapable de supporter les petits ennuis de l'existence. Une personnalité d'une richesse exceptionnelle, par conséquent, excessive dans ses qualités comme dans ses défauts. Parce que c'était Cecilia, a déclaré Jennifer Storey, on lui pardonnait tout. Elle a insisté sur son magnétisme, sa beauté et son intelligence. Sur tous ces points, elle avait raison.

D'instinct, les regards se fixèrent sur la photographie. Sa qualité rendait Cecilia Ambroswell de plus en plus présente. Higgins s'approcha d'elle.

− Je compte beaucoup sur votre collaboration, miss Cecilia, déclara-t-il, pour identifier votre assassin. Ainsi, vous pourrez connaître le repos éternel. Auparavant, permettez-moi de dissiper quelques illusions que vous avez vous-même entretenues afin de donner une fausse image de votre personne. Le jeu, une fois encore, le plaisir de tirer des ficelles et de voir s'agiter des êtres plus ou moins conscients autour de vous.

Scott Marlow, dont la présence aux côtés du

portrait avait été jusqu'alors très discrète, éternua bruyamment. La méthode des trois chapeaux avait échoué : la grippe d'été ne reculait pas. Sans doute faudrait-il la reprendre depuis le début. Le superintendant éprouvait grand-peine à tenir son rang et à suivre les propos de Higgins. Pourtant, ce serait à lui d'arrêter officiellement le coupable au nom de Scotland Yard... à condition que l'ex-inspecteur-chef suive une piste sérieuse. Scott Marlow avait un œil sur John Garret, debout près de la porte d'entrée, comme s'il s'apprêtait à s'enfuir. Il avait l'autre sur le comte Herbert von Wigelstein qui pouvait avoir l'idée suicidaire de sauter par la fenêtre.

— Tous étaient d'accord, reprit Higgins, pour dire que le destin avait offert trop de cadeaux à Cecilia Ambroswell. La beauté, l'intelligence, la fortune, la réussite... et si nous avions oublié le bonheur quotidien, le simple plaisir d'exister ? Une vie facile ? Qu'en savons-nous ? Pourquoi, s'il en avait réellement été ainsi, Cecilia se serait-elle montrée si souvent insupportable, presque cruelle, provocante ? Pourquoi aurait-elle sans cesse cherché à s'éprouver elle-même, à dépasser ses limites en exigeant la même démarche de la part de ses proches ? Parce qu'elle n'était pas heureuse, parce qu'elle ignorait certaines joies élémentaires que procurent l'expérience et le renoncement à de fausses valeurs... Mais cette jeune femme avait l'immense courage de se confronter à sa propre difficulté d'être et de ne pas biaiser avec ses exigences intérieures.

— Concluriez-vous à un suicide ? proposa Olivia Parker, la voix tremblante.

— Cette hypothèse m'a effleuré l'esprit, avoua Higgins. J'ai envisagé une mise en scène que les faits constatés rendent impossible. De plus, jamais Cecilia Ambroswell ne se serait donné elle-même la mort. Elle avait un trop grand besoin d'expérimenter la nature humaine et ses pulsions les plus

profondes pour se priver de son jouet favori :
elle-même. C'est pourquoi elle a créé le personnage fictif d'une Cecilia dévoreuse d'hommes suc-
combant à des passions et à des passades. Comment lui reprocher d'aimer l'amour et d'être la
plus belle, vous êtes-vous interrogée, mademoiselle Siwell? Vous considériez votre amie Cecilia
comme une presque débauchée et, pourtant, vous
estimiez qu'il ne fallait pas la taxer d'immoralité
parce qu'elle portait en elle une véritable pureté.
Vous aviez raison. Elle avait cette pureté impitoyable des dames du temps jadis qui exigeaient
un amour platonique, désincarné, avant d'envisager toute forme de plaisir. Un amour si haut, si
extraordinaire qu'elle ne l'a pas rencontré sur
cette terre. Je n'ai obtenu aucune précision sur les
croyances de Cecilia. Sans doute n'avaient-elles
pas d'aspect religieux. Sa foi dans l'absolu n'en
était pas amoindrie pour autant.

Herbert von Wigelstein ironisa.

— Vous exagérez, inspecteur! Encore un peu, et
vous allez nous décrire Cecilia comme une sainte
ou comme une mystique! Ses frasques étaient
connues de tous, à Cambridge!

— Pure illusion, rétorqua Higgins. Duke l'avait
décrite comme une garce passant son temps à
aguicher les garçons. Petty a colporté la rumeur
selon laquelle peu d'hommes lui avaient résisté.
Ivanhoé l'a qualifiée de « personne scandaleuse »
qui avait séduit quantité de soupirants. Une atmosphère de scandale régnait autour d'elle, m'a
confié Olivia Parker. Une atmosphère seulement...
rien de plus. Lequel d'entre vous pourrait me citer
le nom d'une des conquêtes de Cecilia Ambroswell?

Personne ne rompit le silence.

— C'est Olivia Parker, également, qui a précisé
que nul ne pouvait affirmer avoir conquis le cœur
de Cecilia, trop indépendante et trop imprévisible
pour s'attacher à un seul homme. Cela ne signi-

fiait pas qu'elle menait une existence dissolue, au contraire. Son amour, elle le réservait pour le moment où son être entier serait conquis.

— A savoir son mariage avec moi! affirma Herbert von Wigelstein, grinçant.

Higgins ne répondit pas, se contentant d'un regard énigmatique à l'adresse du jeune aristocrate qui haussa les épaules.

— Le trait principal du caractère de Cecilia Ambroswell, indiqua l'ex-inspecteur-chef, était son sens du secret. Ivanhoé, Petty et John Wipple, qui constituent le meilleur réseau d'informateurs de Cambridge, n'ont rien recueilli sur elle, à l'exception de faux bruits. Pour eux, ce crime est inexplicable... Il ne subsiste qu'un cadavre de jeune femme richissime assassinée sans motif. Une jeune femme si secrète qu'il ne nous reste plus que son double pour bien la connaître.

Scott Marlow, à la différence de Higgins, n'aurait pas fait si grand cas de Cecilia Ambroswell dont la capricieuse personnalité défiait les lois de l'éducation victorienne qui, quoi qu'on en dise, avait contribué à la grandeur de l'Angleterre.

— J'oubliais un élément essentiel qu'a mis en valeur Henrietta Siwell, ajouta l'ex-inspecteur-chef : Cecilia avait un sens aigu de l'amitié et le culte du clan dont vous, ici réunis, étiez les membres, à un titre ou un autre. Elle ne vous pardonnait rien, vous mettait parfois à la torture mais vous aimait plus qu'elle-même. Elle avait favorisé votre carrière et aurait continué à vous aider à sa manière, irrationnelle mais combien efficace. Vos situations matérielles si diverses n'influençaient pas son jugement. Elle était aussi attachée à la réussite de son *scout* John Garret qu'à celle de son amie la plus fortunée. Ce que Cecilia ne supportait pas, c'étaient la veulerie et la soumission. Elle appréciait, plus que vous ne le supposiez, vos révoltes et vos critiques.

Higgins s'exprimait avec tant de conviction

qu'un observateur extérieur aurait juré qu'il connaissait Cecilia Ambroswell depuis toujours. Le comte von Wigelstein intervint à nouveau sur un ton mordant.

— Rappelons-nous, inspecteur, que vous n'avez jamais rencontré ma fiancée... Au lieu de fabuler à perte de vue, vous feriez mieux de vous en tenir aux faits.

Scott Marlow attendit une réaction très sèche de la part de Higgins. D'ordinaire, ce dernier n'était pas homme à supporter ce genre de critique. Cette fois, il se contenta de contempler la photographie de Cecilia Ambroswell, comme s'il n'avait pas entendu les paroles prononcées par le comte.

— Les faits, bien sûr, les faits... Il y a d'abord un cheveu sur l'oreiller. Un cheveu qui vous appartient, monsieur le comte, et qui pourrait laisser supposer que vous avez partagé la couche de votre fiancée.

— Inexact, inspecteur! Cecilia et moi avions respecté notre pacte. Nous étions fiancés, pas mari et femme!

— Je vous crois. Le cheveu est vrai, la déduction fausse. Cecilia l'avait placé là pour faire croire à l'intimité de vos relations... ou bien ne serait-ce pas plutôt l'assassin lui-même?

Scott Marlow ne voyait pas où Higgins voulait en venir. Une fois que le laboratoire aurait démontré que le cheveu provenait de la tête du comte Herbert, quelle preuve en tirer? Le jeune aristocrate, un sourire de défi aux lèvres, ne semblait d'ailleurs nullement inquiet.

— Monsieur le comte, vous avez bien le goût des épingles de cravate de grand prix?

— En effet, inspecteur. Ce n'est pas un crime.

— Nous avons retrouvé une très belle épingle de cravate en or, décorée d'un pélican en relief, dans un tiroir secret du bonheur-du-jour, ce joli meuble que Cecilia Ambroswell avait choisi pour sa chambre. Il est probable que ce superbe objet vous appartient, monsieur le comte?

Instinctivement, Herbert von Wigelstein tâta sa propre épingle de cravate, ornée d'une tête de dragon.

– Non... je n'en possède pas de semblable.

– C'est fort étrange, observa Higgins. Voilà un indice si particulier qu'il aurait dû être aisé de trouver son propriétaire. Pourtant, personne n'a été capable de me le dire. Certains m'ont quand même mis sur la voie. John Garret croyait l'avoir déjà vu quelque part, sans pouvoir être plus précis. Duke m'a menti... il avait sans doute reconnu l'épingle mais n'a pas voulu l'avouer. Je n'ai malheureusement pas eu le temps de l'interroger davantage. Henrietta Siwell et mon ami Petty m'ont fourni de précieuses indications. La première, qui affirme n'avoir jamais vu le bijou, pensait qu'il ne pouvait appartenir qu'à deux personnes : le comte Herbert von Wigelstein ou Sir Caius Gateway. Le second ne savait rien de précis, mais il connaissait une personne qui me dirait obligatoirement la vérité : Olivia Parker. La bibliothécaire de Trinity College m'a déçu : « une pièce ancienne de très grande valeur », a-t-elle estimé, sans me désigner son propriétaire. Elle m'a paru fort troublée en proférant ce petit mensonge par omission.

Olivia Parker se leva, indignée.

– Mensonge? Je refuse cette accusation, je...

– Asseyez-vous, mademoiselle, ordonna Higgins, et ne vous enferrez pas davantage. Il n'y a, en effet, que deux propriétaires possibles, ceux qu'a désignés Henrietta Siwell. Olivia Parker a protégé l'un d'eux, sinon les deux, de sorte que leur honorabilité ne fût pas entachée.

Olivia Parker avait les lèvres serrées. Le rouge lui montait aux joues. Herbert von Wigelstein devint agressif.

– Je vous répète, inspecteur, que cette épingle

de cravate ne m'appartient pas et j'aimerais que ma parole ne fût pas mise en doute.

Higgins s'approcha du Maître de Cambridge.

– Et vous, Sir Caius? Qu'avez-vous à déclarer?

Le grand personnage hésita longuement avant de répondre.

– J'affirme solennellement que ce bijou ne m'appartient pas non plus. Bien sûr...

Higgins n'intervint pas, attendant que le Maître de Cambridge poursuive sa déclaration.

– Bien sûr, si vous estimez indispensable d'examiner ma collection, vous y découvrirez des épingles qui ressemblent fort à celle-là ou sont même identiques... mais ce sera pure coïncidence! Il ne m'en manque aucune. D'où provient celle que vous possédez et pourquoi elle se trouvait dans la chambre de Cecilia Ambroswell, je n'en ai pas la moindre idée.

La gêne de Sir Caius était perceptible. Ses arguments paraissaient bien embarrassés. Scott Marlow éprouva soudain de vifs soupçons.

– C'est tout à fait normal, Sir, dit Higgins, souriant. Car cette épingle est un faux.

CHAPITRE 20

— Une bonne imitation, admit Higgins, mais rien d'autre qu'un faux. Comme la collection de Sir Caius le confirmera, ces parures sont toujours en or ou en argent massif. C'est ce qui fait leur valeur. Or, le pélican de l'épingle de cravate incriminée n'est que du vulgaire laiton plaqué or. L'artisan a recopié un modèle ancien.

— Pourquoi un tel montage? s'étonna le comte Herbert.

— L'assassin a prémédité son crime, répondit Higgins. Il l'a même organisé avec un raffinement et une intelligence hors du commun. Qu'en pensez-vous, monsieur le comte?

L'ex-inspecteur-chef fixait Herbert von Wigelstein d'un œil inquisiteur. Le jeune aristocrate en ressentit une gêne profonde. Sa parole devint hésitante.

— Moi? Mais rien, rien du tout... oui, c'est un crime horrible, odieux...

Higgins marcha de long en large devant le comte Herbert, acculé à la fenêtre.

— Vous êtes un curieux personnage, monsieur le comte. Une éducation stricte, une existence d'aristocrate où tout est calculé selon des règles ancestrales, la conscience d'être supérieur au vulgaire, des études à Cambridge... La route était parfaitement tracée jusqu'à votre rencontre avec Cecilia Ambroswell. Une femme aussi passionnée que vous êtes indifférent, aussi ardente que vous êtes mesuré, aussi imprévisible que vous êtes conventionnel.

— Je ne vous permets pas d'émettre des jugements sur ma vie privée! protesta Herbert von Wigelstein.

— Il ne s'agit plus de votre vie privée, rectifia Higgins, mais de l'identification d'un assassin qui a su jouer sur les mille relations unissant entre eux les membres d'un cercle amical dont vous faites partie. Pour y parvenir, il me faut vous connaître en démêlant le vrai du faux.

— Vous m'accuseriez de mensonge?

— Ce dernier réside dans la nature humaine, monsieur le comte... Il devient inexcusable lorsqu'il sert de masque pour accomplir le mal. Si nous parlions un peu de vos études? Vous vous présentez comme un spécialiste de littérature comparée, jouissant du don des langues et réussissant avec facilité.

Excédé, Herbert von Wigelstein regarda à nouveau par la fenêtre.

— Que pouvez-vous connaître à ces matières-là, inspecteur? Scotland Yard n'est pas réputé pour ses talents littéraires.

— Mon ami Wipple, continua Higgins, passant outre à l'injure, m'a indiqué que vous étiez le seul étudiant en littérature comparée à ne pas acheter un seul livre. A son avis, votre niveau d'érudition est plutôt médiocre. Vous êtes tombé dans les petits pièges techniques qu'il vous a tendus. Vous avez été incapable de répondre à quelques questions simples.

— Vous croyez peut-être que j'ai obtenu mes premiers diplômes... par protection? s'emporta l'aristocrate.

— Exactement. Deux témoignages m'ont conforté dans cette opinion, outre les constatations du libraire Wipple. D'abord celui de John Garret qui attribue les réussites universitaires du comte à sa fortune et à ses relations. Le confirmez-vous, monsieur Garret?

– Je le confirme, déclara le jeune homme, soutenant le regard noir de Herbert von Wigelstein. C'est un scandale qui déshonore Cambridge et auquel il faudrait mettre fin.

Le poing levé, le comte se dirigea vers le *scout*. Scott Marlow s'interposa.

– Calmez-vous, monsieur le comte! Retournez à votre place.

Herbert von Wigelstein se figea sur place, puis obéit.

– Le second témoignage, reprit Higgins, est celui de Duke. D'après lui, si vous n'aviez pas bénéficié de protections haut placées, vous auriez été expulsé de Cambridge un mois après votre admission.

– Oser utiliser le délire d'un vieil ivrogne! s'insurgea le comte.

– Un ivrogne qui a été assassiné.

Le rappel de Higgins alourdit un climat qui se tendait davantage à chaque minute.

Higgins vint se placer devant Sir Caius.

– C'est vous, n'est-ce pas, qui protégez Herbert von Wigelstein et le recommandez à ses examinateurs? D'après Herbert lui-même, vous avez soigné sa mère, il y a plusieurs années, alors que vous exerciez encore votre profession de médecin. La famille von Wigelstein compte au nombre de vos intimes et je crains, Sir Caius, que vous n'ayez fait bénéficier Herbert de privilèges quelque peu injustifiés.

– C'est une vision déformée de la réalité, rétorqua le Maître de Cambridge, demeurant assis, jambes croisées. Vue de l'extérieur, la situation pourrait, en effet, être analysée en termes critiques. Je ne nie pas avoir prononcé des paroles favorables à Herbert, ici ou là, dans l'une ou l'autre commission d'examens. Ce n'était point hypocrisie de ma part. Je suis persuadé que ce garçon dispose d'une belle intelligence et qu'il est capable de devenir un brillant littéraire. Certes, à partir de cette année, les meilleurs appuis s'avéreront insuffisants. C'est à Herbert de prendre en mains son destin universitaire et d'affronter des épreuves très sélectives.

Satisfait de sa déclaration, prononcée sur un ton mesuré mais péremptoire, Sir Caius s'aperçut, non sans un vif contentement intérieur, qu'il avait de nouveau assis son autorité sur ses étudiants. La tentative de Higgins, visant à discréditer Herbert von Wigelstein, avait échoué.

— Mon ami Petty, continua l'ex-inspecteur-chef, n'a pas une bonne opinion du comte Herbert. Il le juge mal à l'aise, enivré par son propre discours, plutôt veule et sans axe intérieur. Duke insistait sur sa mollesse. Jennifer Storey a été plus loin encore : « grand nigaud », a-t-elle estimé. Ce sont bien vos termes, mademoiselle?

Jennifer Storey fit front devant un Herbert von Wigelstein éberlué.

— Oui, inspecteur. Herbert est complètement esclave de son milieu et de ses convenances sociales. Ça le rend idiot. Il en oublie d'être lui-même.

— Tu me paieras ça, Jennifer! ragea le comte. Sale petite...

Higgins l'interrompit.

— Pas d'injures, je vous prie! Sachez garder votre rang... d'autant plus que vous n'avez pas manqué de faire la cour à Jennifer Storey.

— Cette fille a trop d'imagination, inspecteur!

— Ce n'était qu'un échec de plus pour un faux don Juan, persifla la mathématicienne.

Une nouvelle flambée de violence échauffa Herbert von Wigelstein. Avançant dans sa direction, le superintendant Marlow fit peser sur lui un lourd regard de désapprobation. Tâtant les menottes qui ne quittaient jamais la poche gauche de sa veste, Scott Marlow était à présent persuadé de tenir son coupable. Restait à Higgins le soin de démontrer comment il s'y était pris.

— Vous êtes devenu officiellement le fiancé de Cecilia Ambroswell, rappela Higgins, mais cette idylle ne se déroulait pas dans les meilleures conditions. A l'origine de cette future union, il y avait un rapprochement souhaité entre deux familles fortunées. Cette convention ne vous gênait ni ne vous déplaisait, d'autant que votre promise était une femme d'une merveilleuse beauté. Sans doute, comme le pensait Sir Caius, en êtes-vous réellement tombé amoureux.

— Je vous interdis de penser le contraire! rugit le jeune aristocrate. Sir Caius a horreur de la passion sous toutes ses formes... Il me reprochait de trop aimer Cecilia, de m'exposer à d'inévitables souffrances, mais ses réprimandes n'y changeaient rien : je voulais épouser Cecilia.

— Admettons-le, monsieur le comte. Mais partageait-elle le même désir?

Comme s'il était horrifié par une question à laquelle il ne s'attendait que trop, Herbert von Wigelstein se cacha le visage dans les mains.

— Vous-même, monsieur le comte, fûtes incapable de me préciser la date d'un éventuel mariage. C'était Cecilia, et Cecilia seule, qui décidait. Impossible pour vous d'avoir le dernier mot. Elle vous reprochait de manquer de folie et de romantisme. Elle vous plaçait dans l'inconfortable situation du perpétuel soupirant auquel elle accorderait peut-être sa main, au gré de sa fantaisie. Et vous n'osiez guère protester puisque vous étiez le fiancé officiel et teniez à cette position privilégiée.

— Elle aurait fini par m'épouser, j'en suis sûr! explosa le comte.

— Pas moi, rétorqua Higgins. Personne ne pouvait prévoir les décisions de Miss Cecilia. Et vous aviez perdu l'un de vos arguments décisifs : votre fortune.

— Comment...

— Une rapide enquête nous a permis de confirmer les dires de mon ami Wipple. La fortune des Wigelstein est presque réduite à néant. Cecilia n'avait plus besoin de sacrifier aux convenances d'un mariage de raison, à supposer qu'elle en ait jamais eu l'intention.

Herbert von Wigelstein sembla se rapetisser. Il n'osait plus regarder personne en face.

— Il faut à présent envisager le fait que le comte Herbert ait commis un meurtre, avança Higgins d'une voix aussi douce qu'incisive.

Scott Marlow serra les menottes. Le comte se tassa près de la fenêtre, toute hargne évanouie. Il ne souhaitait plus que rentrer sous terre.

— Reprenons les faits et tentons d'y mettre un peu d'ordre, proposa Higgins. Le comte Herbert m'a affirmé ne rien savoir sur le perroquet empaillé trouvé sur les lieux du crime. Pourtant, l'un de ses objets personnels tendrait à démontrer le contraire.

— Lequel? interrogea le comte, anxieux.

— Une photographie de Cecilia, clouée au pied de votre lit et transpercée d'une plume de perroquet. Un véritable dispositif de magie noire.

Olivia Parker poussa un petit cri horrifié.

Le jeune aristocrate pâlissait à vue d'œil.

— Cette photographie ne m'appartient pas, inspecteur, pas davantage que la plume de perroquet... Je ne me suis jamais livré à de telles pratiques.

— Niez-vous également être propriétaire d'un petit squelette articulé?

— Non... c'est Cecilia elle-même qui me l'avait offert pour me rappeler la brièveté de l'existence. Je jugeais ce jouet bien macabre, mais elle se serait mise en colère si je m'en étais débarrassé.

Pour Scott Marlow, les dénégations du comte n'avaient aucune valeur. Il se défendait avec une maladresse évidente.

– Vous aviez l'habitude de manier l'aviron, poursuivit Higgins.

– C'est Cecilia qui m'obligeait à pratiquer ce sport.

– Je sais, reconnut Higgins. Duke m'avait même dit que, malgré votre carrure et la haute idée que vous aviez de vos talents, vous n'étiez qu'un médiocre sportif. Il n'en reste pas moins que vous saviez vous servir d'une rame. N'est-ce pas vous qui, d'après le témoignage de John Garret, avez indiqué aux participants à la *party* qu'il était 3 heures du matin, donnant ainsi le signal du départ? Départ que vous aviez programmé pour mieux revenir ensuite dans la chambre de Cecilia et la frapper mortellement d'un coup de rame.

Le maintien aristocratique du comte Herbert avait totalement disparu. Il n'était plus qu'un adolescent égaré dans une jungle peuplée de dangers contre lesquels il était incapable de se défendre.

– Inspecteur... vous n'en croyez pas un mot! Rassurez-moi, je vous en conjure... vous me provoquez, c'est ça? C'est bien ça?

Scott Marlow estima que ce comte désargenté avait des dons pour la comédie. Il passait du dédain à la supplication avec une déconcertante facilité.

– Pourquoi auriez-vous tué? s'interrogea Higgins. En supprimant votre fiancée, vous anéantissiez du même coup la fortune immense qui vous attendait. Ce simple fait semblait vous disculper à l'avance. Mais mon collègue, le superintendant Marlow, a justement estimé qu'il pouvait exister un mobile suffisamment puissant pour vous conduire jusqu'au crime, en dépit de toute conséquence. Après la *party*, vous êtes revenu chez votre fiancée. Vous avez exigé le mariage. Une fois de plus, elle a refusé. Vous voyant éméché, énervé, elle a choisi de vous pousser à bout en vous révélant qu'elle était enceinte... et pas de vous. Cette découverte vous a rendu fou furieux. La jalousie vous a fait perdre la raison. Vous avez frappé, frappé encore...

– C'est faux! Archi-faux! Une invention complète!

– Il y a une autre explication, poursuivit Higgins, indifférent aux dénégations de Herbert von Wigelstein. Cecilia ne vous accordait aucune liberté. Elle exigeait même de vous une absolue fidélité. C'est vous qui m'avez révélé l'existence de ce pacte qui laissait votre fiancée libre de ses attachements. A la moindre faute de votre part, le projet de mariage était rompu. La question qui se pose, dans ces conditions, est des plus simples : aimiez-vous réellement Cecilia pour elle-même et non pour sa fortune? Ne vous a-t-elle pas rebuté au point de vous éloigner d'elle et de vous jeter dans les bras d'une autre femme? Cette autre femme qui aurait été votre maîtresse, que vous étiez obligé de cacher et qui vous a conseillé d'assassiner Cecilia Ambroswell pour vous délivrer de celle qui vous réduisait en esclavage et dont vous n'aviez plus rien à attendre.

Scott Marlow n'était pas peu fier de lui. C'étaient ses déductions que Higgins reprenait à son compte. Herbert von Wigelstein, semblable à un animal traqué, protesta avec mollesse.

– J'étais fidèle à Cecilia... Cette autre femme n'existe pas!

– Mais si, insista Higgins, presque paternel. Vous étiez persuadé que Cecilia vous trompait, car vous la connaissiez très mal et vous n'aviez rien compris à son caractère. Henrietta Siwell a observé que vous étiez trop bien élevé pour manifester vos peines de cœur mais que vous aviez à subir une incertitude qui vous déchirait. Entre Cecilia et vous, le climat se dégradait. Lors d'une remise de diplômes chez Sir Caius, votre fiancée vous a publiquement ridiculisé. Vous-même

m'aviez avoué vous être disputé avec elle à propos
de la *party* à laquelle elle a invité John Garret
contre votre avis.

— Des broutilles, inspecteur... Ça m'a rendu
furieux, d'accord, mais pas au point d'aller
jusqu'au meurtre.

— Cecilia était inflexible. Selon vos propres
termes, elle croyait à la valeur sacrée du mariage.
Si elle avait su que vous courtisiez quelqu'un
d'autre, elle aurait immédiatement rompu. Vous
avez pris toutes les précautions de sorte que cette
idylle interdite passât inaperçue. Sauf une fois...
lorsque vous vous êtes rendu en voiture au pub de
mon ami Petty. Ce soir-là, la femme que vous
aimez se trouvait dans votre voiture.

— Pas du tout! C'était Cecilia elle-même, déguisée!

— Bien sûr que non, assena Higgins, sévère.
Cette hypothèse invraisemblable vous a été souf-
flée par mon collègue Marlow pour vous confondre. Jamais Cecilia ne se serait livrée à une telle
mascarade. Elle n'avait nul besoin de se cacher.

Le superintendant bomba légèrement le torse.
Le comte Herbert se tassa sur lui-même.

— Il n'y a que deux personnes qui vous appré-
cient et qui n'ont pas hésité à vous défendre,
indiqua Higgins. Sir Caius, d'abord, qui vous a
décrit comme un homme exceptionnel et n'a pas
tari d'éloges sur votre compte. Ensuite... une
femme. Une femme qui vous a défini comme un
garçon charmant, intelligent, délicat, fin, sensible,
brillant, estimant que tout vous était facile, sauf
l'amour. Un amour qu'elle était prête à vous
offrir. N'est-ce pas, mademoiselle Parker?

CHAPITRE 21

Olivia Parker, la bibliothécaire de Trinity College, sortit un mouchoir et écrasa une larme. Incapable de parler, elle leva des yeux éplorés vers le comte Herbert, paralysé par l'émotion.

— Ce qui est ennuyeux, continua Higgins, c'est que vous ne savez pas seulement manier l'aviron. Vous êtes aussi un grand chasseur.

— Chasseur, oui, je suis chasseur... mais en quoi cela peut-il...

— Duke a été tué par balles, monsieur le comte.

— Duke, Duke... répéta Herbert von Wigelstein en état de choc. Mais pourquoi aurais-je tué Duke?

« Remarquable simulateur », apprécia Scott Marlow qui n'attendait plus qu'un signe de Higgins pour lancer une accusation formelle contre le comte Herbert.

— Il reste les sous-vêtements, annonça l'ex-inspecteur-chef, avec le plus grand sérieux. Ou plus exactement ce qui en subsistait : des dizaines de petits fragments soigneusement découpés aux ciseaux et dissimulés sous le lit de Cecilia Ambroswell. Des sous-vêtements auxquels elle tenait particulièrement? Il ne semble pas. Cecilia avait une immense garde-robe et n'attachait guère d'importance à des tenues qu'elle variait sans cesse. John Garret, qui lavait son linge, n'a constaté aucune disparition de sous-vêtements et n'a recueilli aucune plainte de Miss Ambroswell à ce sujet. Tous ses vêtements étaient rangés, le soir de la *party*, puisqu'elle avait décidé de quitter Cambridge au petit matin.

John Garret hocha la tête affirmativement.

– Action d'un maniaque? interrogea Higgins. Préparatifs d'un crime rituel? C'étaient les premières idées qui venaient à l'esprit. Une question pouvait néanmoins éclaircir ce très curieux détail : lequel d'entre vous avait un rapport quelconque avec des sous-vêtements découpés? Cela semble être votre cas, mademoiselle Siwell.

Henrietta Siwell, la choriste de King's College, regarda à tour de rôle Olivia Parker et Jennifer Storey, comme si elle cherchait de l'aide. La jolie petite brune aux longs cils semblait perdue.

– Moi? Mais pourquoi?

– Mon ami Petty vous a qualifiée de rêveuse. Vous êtes une artiste, la meilleure choriste de King's Collège selon Sir Caius, mais aussi une historienne et une sociologue de bon niveau. Olivia Parker a beaucoup d'estime pour votre talent, votre ténacité, votre acharnement au travail que reconnaissent tous vos proches. Votre qualité dominante, m'a-t-il été dit, c'est votre gaieté, votre faculté de répandre la joie autour de vous. Vous saviez si bien rire que vous parveniez même à remonter le moral défaillant de Cecilia Ambroswell pendant ses périodes dépressives. C'est une qualité rare, mademoiselle, qui vous ouvre un brillant avenir, même si l'amour n'est pas encore entré dans la partie.

Henrietta Siwell sourit avec grâce. Scott Marlow s'impatientait. Pourquoi Higgins abandonnait-il le cas limpide du comte Herbert pour s'intéresser aux sentiments d'une jeune fille?

– Votre avenir artistique, néanmoins, est beaucoup moins prometteur que ne l'imaginent vos amis. Le maître de chœur m'a appris que j'avais

eu le privilège d'entendre votre dernière prestation, puisque vous alliez être remplacée.

— Je l'ignorais, s'étonna Sir Caius.

— Tu ne m'en avais rien dit, reprocha Olivia
Parker.

— J'étais déçue, c'est vrai, confessa Henrietta
Siwell, mais il faut accepter le destin. Et puis il ne
m'était plus possible de lutter sur tous les
fronts.

— Vous étiez une romantique comme votre
amie Cecilia, indiqua Higgins. C'est même ce qui
devrait vous perdre, d'après le comte Herbert. Il
ne croit pas, comme vous, à l'amour absolu et au
rêve éveillé.

— Chacun son tempérament, inspecteur. Cela
ne nous empêche pas de nous estimer.

— Ce n'était pas le cas en ce qui concerne John
Garret... Ce dernier n'a pas suffisamment d'allure
pous vous plaire, n'est-ce pas?

— Il était le *scout* de Cecilia, voilà tout.

John Garret, bras croisés, eut une moue dédai-
gneuse.

— Bien que Cecilia fût votre meilleure amie,
exposa Higgins, elle ne s'est pas toujours montrée
très sympathique à votre égard. Vous avez ri et
plaisanté ensemble, vous avez partagé joies et
peines mais vous vous êtes souvent brouillées,
puis réconciliées avant de vous brouiller à nouveau... Elle vous a même agressée en public en
vous traitant de gamine attardée et de chanteuse
d'opérette comme vous me l'avez vous-même
révélé.

— C'était Cecilia, inspecteur... des incidents sans
importance.

— Qui pourraient avoir laissé des traces indélé-
biles, mademoiselle... Une artiste, une romantique, une rêveuse est également hypersensible,
voire susceptible.

Le sourire d'Henrietta Siwell se figea.

— Rien ne permet de penser, mademoiselle, que

vous sachiez manier une rame ou un revolver, que vous éprouviez le moindre intérêt pour les perroquets ou pour les sous-vêtements. En revanche...

— En revanche? s'inquiéta Henrietta Siwell, fronçant les sourcils.

— Votre chambre recélait un curieux secret.

— Ma chambre? Vous avez fouillé ma chambre?

L'expression paisible de Higgins désarma l'agressivité de l'étudiante.

— Les voies de Scotland Yard sont impénétrables, mademoiselle. Comment expliquez-vous la présence, dans votre armoire, d'une paire de ciseaux de couturière soigneusement dissimulée?

Henrietta Siwell sembla stupéfaite.

— Mais je ne l'explique pas... Ces ciseaux ne m'appartiennent pas! Je n'ai jamais rien caché! On a voulu me nuire, c'est évident... je vous en donne ma parole!

— Vous seriez donc victime de la même mésaventure que le comte Herbert, analysa Higgins, lissant sa moustache poivre et sel, tout en contemplant le visage de Cecilia Ambroswell. Mais vous n'êtes pas la seule à être concernée par ce problème de sous-vêtements. N'est-ce pas votre avis, mademoiselle Parker?

La bibliothécaire de Trinity College parut stupéfaite.

— Je ne vois pas ce que vous sous-entendez, inspecteur!

— Personne ne me facilite la tâche, déplora Higgins. Mon ami Petty vous juge un peu... prétentieuse, rappela-t-il, n'osant citer le mot de « pimbêche ». Votre élégance est reconnue de tous, à Cambridge, mais elle s'accompagne d'un certain manque de naturel qui est sans doute un masque destiné à cacher un tempérament sensible et passionné. Vous êtes une grande dame de Cambridge, mademoiselle Parker et, pourtant, vous fréquentez des étudiants plus jeunes que vous et dont les préoccupations devraient être éloignées des vôtres.

— J'aime la jeunesse, je vous l'ai déjà dit.

— Je vous crois volontiers, mais je pense que vous aimez d'amour un jeune homme qui comble enfin vos espérances : le comte Herbert von Wigelstein.

Olivia Parker tordit à le déchirer son mouchoir brodé. Scott Marlow, heureux que l'on revint enfin au principal suspect, observait le jeune aristocrate, statufié.

— Vos proches, continua Higgins, admirent votre intelligence et vos qualités professionnelles. Sir Caius prend en compte vos idées et vos observations. Il vous attribue une indépendance farouche. Avec votre titularisation, votre carrière prenait un réel envol. Mais cela ne suffit plus à remplir votre vie depuis que vous avez découvert l'amour. Le malheur veut que l'homme pour lequel vous éprouvez une passion profonde soit mêlé à un crime.

— Non, c'est faux! protesta Olivia Parker d'une voix presque désespérée.

— Vous avez murmuré à l'oreille du libraire John Wipple que l'assassinat de Cecilia Ambroswell était le résultat d'une sordide histoire de mœurs pour orienter les soupçons vers Duke ou un quelconque rôdeur et les détourner du comte Herbert. Lorsque vous avez vu l'épingle de cravate, vous l'avez reconnue. Elle appartenait à Sir Caius, pensiez-vous, très inquiète. Peut-être avez-vous cru qu'il était coupable, ce qui aurait été une horrible catastrophe pour Cambridge. Or, vous aviez déjà décidé de propager une autre fable, la plus invraisemblable possible, celle où vous affirmiez avoir vu le même Sir Caius, vêtu de noir et portant une casquette de barreur, pénétrer dans St. John's College après la fin de la *party*.

— Olivia! s'insurgea le Maître de Cambridge. C'est complètement absurde!

– Pardonnez-moi, Sir, sanglota la bibliothécaire. J'ai inventé n'importe quoi... C'était si grotesque que cela ne pouvait vous atteindre.

Higgins se pencha vers Olivia Parker.

– Comment expliquez-vous la présence, dans votre chambre, de deux soutiens-gorge en dentelle rose et noire marqués aux initiales de Cecilia Ambroswell et d'un troisième découpé en morceaux?

L'affolement déforma les traits réguliers du visage de la bibliothécaire.

– Ce n'est... ce n'est pas moi! Je n'ai pas volé ces soutiens-gorge... On les a mis chez moi à mon insu!

– Encore une mise en scène, dit Higgins, dubitatif. Il serait pourtant plus simple de penser que vous avez effectivement dérobé ces sous-vêtements et que les découper vous procurait une joie malsaine, une revanche sur Cecilia Ambroswell que vous aviez tant de raisons de détester.

– Pas du tout, inspecteur! J'étais sa confidente et...

– Une confidente bien peu lucide, mademoiselle Parker. Cecilia se jouait de vous. Elle n'avait d'autre confidente qu'elle-même. Vous l'avez aidée à percer les secrets de Cambridge, à comprendre ses mécanismes et elle vous en était très reconnaissante. Cela ne l'a pas empêchée, comme me l'a indiqué Henrietta Siwell, de se moquer cruellement de vous comme de ses autres amies et de vous reprocher vertement vos airs supérieurs, ce qui vous a beaucoup choquée.

– J'ai su accepter... C'était Cecilia.

– Cecilia a commis une erreur grave, expliqua Higgins. Elle ne s'est pas aperçue qu'un amour profond naissait entre vous et le comte Herbert. Un amour si exigeant que Cecilia, avec son immense personnalité, devenait un personnage très encombrant. Jamais elle n'aurait accepté que son ex-fiancé épousât celle qui se considérait comme sa confidente. Le comte, excédé, s'est transformé en meurtrier sans rien avouer de ses projets à Olivia Parker. Mais cette dernière, avec son intuition féminine, a bien senti que son comportement était anormal et qu'il lui cachait quelque chose de grave.

Olivia Parker se leva brusquement, courut vers Herbert von Wigelstein et lui prit les mains, dans un geste d'une émouvante tendresse.

— Dis-leur que ce n'est pas vrai, Herbert! Dis-leur que tu n'as pas tué Cecilia!

La tête en feu, le jeune aristocrate était incapable de prononcer le moindre mot. Scott Marlow se demandait pourquoi Higgins tergiversait encore.

— Il existe une autre possibilité, ajouta l'ex-inspecteur, consultant ses notes. Cecilia a effectivement confié à Olivia Parker qu'elle était enceinte, sans lui dire le nom du père. Pour Olivia, demeurer dans l'incertitude était insupportable. Herbert était-il ou non le père? Comme l'a remarqué John Garret, Olivia Parker avait souhaité demeurer auprès de Cecilia après la fin de la *party*, mais son amie avait refusé.

— Je ne suis pas certaine que c'était elle, intervint le *scout*. J'avais les idées trop embrouillées.

— Je sais, monsieur Garret. Vous avez évoqué la possibilité qu'il s'agisse d'Henrietta Siwell ou de Jennifer Storey. Néanmoins, dans vos souvenirs alcoolisés, c'est bien Olivia Parker qui avait votre préférence?

— En effet.

— En supposant que vous ne vous êtes pas trompé, continua Higgins, Olivia Parker cherchait à avoir une franche explication avec Cecilia. Cette dernière s'étant dérobée, Olivia n'a pas renoncé pour autant. Les autres invités partis, elle est revenue. Cette fois, Cecilia a donné le nom du père : Herbert lui-même. Herbert qu'elle comptait bien épouser. Olivia Parker a vu le bonheur s'enfuir, sa vie de femme s'effondrer. Elle n'a pas réussi à se contenir devant tant d'injustice et de cruauté. Une fureur meurtrière l'a envahie.

— Non, inspecteur, protesta la bibliothécaire de Trinity College, soudain très calme. Je n'ai pas tué Cecilia. Il m'est arrivé de la haïr, c'est vrai, pour avoir méprisé un homme de la qualité de Herbert. Mais j'aurais été incapable de fonder mon bonheur sur un crime.

Higgins s'arrêta une nouvelle fois devant la photographie de Cecilia Ambroswell.

— Il y a encore le perroquet, déclara-t-il.

CHAPITRE 22

Higgins se retourna et marcha lentement autour de la chaise sur laquelle était assise Jennifer Storey. Sereine en apparence, elle rejeta en arrière ses longs cheveux auburn, dégageant son visage fin et mutin.

— Petty vous considère comme une débrouillarde, mademoiselle Storey. Sous votre allure résolument jeune et vos vêtements un peu trop décontractés pour un cadre aussi respectable que Cambridge, vous êtes une remarquable mathématicienne destinée aux études les plus ardues. Sir Caius vous a même définie comme la « perle de Queen's College ». Une perle malicieuse et critique. Selon Henrietta Siwell, vous auriez tout pour être heureuse si vous aviez davantage confiance en votre charme naturel et si vous n'aviez pas si peur des garçons.

La jeune fille se rebiffa avec vivacité.

— Henrietta est mon amie, mais je n'ai besoin de personne pour connaître mes sentiments et en disposer à ma guise.

— Mon ami Ivanhoé, insista Higgins, pense aussi que votre spontanéité cache une réelle timidité. Vous vous croyez moins belle et moins séduisante que vous ne l'êtes en réalité.

— Merci de ce faux compliment! Vous auriez pu le garder pour vous. Il ne fait en rien avancer l'enquête.

– Laissez-m'en juge, mademoiselle. Vous m'avez fait une confidence, vous en souvenez-vous, concernant votre goût prononcé pour le découpage et l'utilisation des ciseaux.

– Je confirme que les ciseaux et la colle sont des outils indispensables pour mener à bien des études. Un classement impeccable est la première des vertus scientifiques.

La mathématicienne défiait l'ex-inspecteur-chef avec une insolence qui déplaisait fort à Scott Marlow. Autrefois, les jeunes avaient coutume de baisser les yeux devant leurs aînés.

– Sans doute, mademoiselle Storey, dit Higgins. Mais il existe cette lingerie découpée. Vous avez bien des ciseaux, dans votre chambre?

– Vous oubliez ceux qui étaient cachés chez Henrietta et le soutien-gorge découpé par Olivia!

Olivia Parker apostropha son amie.

– Tu n'as pas le droit de parler ainsi, Jennifer! Je n'ai rien découpé! Je ne suis pas coupable!

– Tu me fais beaucoup de peine, dit Henrietta Siwell. Tu sais parfaitement que nous sommes victimes d'une machination. Pourquoi rejettes-tu sur nous de telles accusations?

La mathématicienne adopta une mine boudeuse.

– Passons au perroquet, exigea Higgins. Le considérer comme un témoin du meurtre serait sans doute excessif, mais il se trouvait néanmoins sur les lieux du crime. Nous devons comprendre les raisons de cette présence pour le moins insolite. Personne ne semble avoir vu ce perroquet auparavant. Duke a affirmé ne jamais avoir empaillé d'animaux. D'après lui, personne n'en possédait à Cambridge. Lorsque j'ai parlé de cet animal au comte Herbert, à Olivia Parker, à Henrietta Siwell et à John Garret, ils ont été surpris, voire outrés par le côté absurde de mes questions. Cela signifiait, bien entendu, qu'ils n'étaient pas revenus dans la chambre de Cecilia après la *party*. C'est l'assassin lui-même qui a déposé le perroquet. Sans doute s'est-il fait ouvrir la porte par Cecilia en lui annonçant qu'il avait un cadeau à lui faire. Cecilia a été intriguée, amusée, ne pouvant prendre conscience qu'il s'agissait d'un piège mortel. Dans cette perspective que je crois réaliste, votre cas, mademoiselle Storey, est un peu compliqué.

— Pourquoi donc? s'enflamma l'étudiante dont les traits se crispèrent.

— Il y a quelques jours, au moment de quitter l'hôtel Ivanhoé, vous avez laissé tomber un cartable contenant un livre à la reliure verte, agrémenté de planches en couleur. Un ouvrage compromettant, semble-t-il, puisque vous l'avez très vite ramassé et caché.

— Caché? Pas du tout! Qu'allez-vous inventer? J'ai des réflexes rapides, voilà tout...

— L'incident serait sans gravité si cet ouvrage, qui devrait se trouver encore dans votre chambre, soigneusement dissimulé, n'était pas consacré, précisément aux diverses espèces de perroquets.

— Ce n'est pas un délit. J'ai le droit de m'intéresser à la zoologie. Ces oiseaux me fascinent depuis mon enfance. Ce sont les plus superbes créatures engendrées par la nature.

— Ce livre est donc bien votre propriété, mademoiselle Storey?

— Non! intervint John Garret, venant s'interposer entre Higgins et Jennifer. Ce livre n'existe pas. Il n'a jamais existé. Jennifer est mathématicienne. Elle se moque des perroquets. Des ouvrages à reliure verte, elle en possède trois ou quatre. Vous cherchez à l'impressionner, à lui faire du mal! Vous ne trouverez aucune preuve chez elle.

Scott Marlow n'en croyait pas ses yeux. Quelle mouche avait piqué l'étudiant?

— Je sais, monsieur Garret, dit Higgins, fort calme. Ne vous énervez pas pour autant. Vous avez jeté ce livre dans la Cam où je l'ai récupéré.

La déception de l'étudiant fut immense.

— Ainsi, j'ai échoué... j'étais pourtant persuadé...

— Je crains de connaître Cambridge aussi bien que vous, monsieur Garret. C'est ce qui vous a perdu. A quel moment vous êtes-vous introduit par effraction dans la chambre de Jennifer Storey pour lui voler l'ouvrage?

— Eh bien... dans l'après-midi, grâce à un passe, et...

— Ne mentez pas davantage, monsieur Garret. La porte de cette chambre vous était largement ouverte, car Jennifer Storey et vous êtes amoureux l'un de l'autre.

La foudre parut avoir frappé les jeunes gens qui n'eurent d'autre réplique que de se regarder avec autant d'angoisse que de confiance réciproque.

— Je suppose qu'il est interdit à un *scout* d'être amoureux, railla John Garret.

— Jennifer Storey m'a beaucoup aidé à découvrir votre secret, révéla Higgins. Elle était scandalisée par les critiques émises contre vous, spécialement par le comte Herbert que vous n'appréciez guère. Elle vous a beaucoup admiré quand vous avez tenu la vedette grâce à vos connaissances. Ce soir-là, elle ne voyait pas le temps passer, tant elle buvait vos paroles. Un biologiste et une mathématicienne... vous avez en commun votre goût pour la science et une timidité naturelle que la passion a réussi à percer. Quand Cecilia a demandé à ses amies de jouer à séduire John Garret, Jennifer ne se doutait pas qu'elle allait en tomber amoureuse. Elle a fait semblant d'avoir échoué et de rire de cette mésaventure alors que sa vie entière s'en trouvait bouleversée.

— Une mathématicienne n'a pas forcément le cœur sec, inspecteur.

— Mais vous estimiez sans doute que votre amie

Cecilia n'avait guère de générosité pour mépriser ainsi son *scout* et l'avilir. Cecilia avec laquelle vous vous étiez violemment querellée, d'après Sir Caius, sans que le motif de cette dispute lui fût connu. A présent, nous pouvons le préciser : John Garret lui-même. Cecilia vous avait traînée plus bas que terre parce que le comte Herbert avait tenté de vous faire la cour. Avec votre tempérament fougueux, vous avez été fort vexée, d'autant plus que votre intelligence était tout à fait capable de rivaliser avec celle de Cecilia.

– Peut-être, inspecteur, mais c'était Cecilia...

– Cecilia, plus belle que vous... cela, vous le supportiez. Mais la voir imposer à John Garret des conditions de vie dégradantes vous fut intolérable. Cecilia n'aurait pas accepté de vous abandonner son *scout*, n'est-ce pas?

– Je l'ignore, inspecteur. Je n'ai pas eu l'occasion de le lui demander et je n'avais pas l'intention de le faire. John et moi sommes des êtres libres. Nous n'avions aucune autorisation à obtenir de sa part. Elle aurait appris notre mariage le jour où nous aurions décidé de le célébrer.

– Soit, mademoiselle Storey... mais vous comprendrez néanmoins que votre situation est plutôt délicate. Votre goût pour le découpage vous relie à l'indice que constituent les lambeaux de lingerie. Votre livre illustré au deuxième indice, le perroquet. Et votre goût pour les promenades en barque vous a donné une aptitude à manier parfaitement une rame.

– Qu'est-ce que cela signifie, inspecteur? s'emporta John Garret. Vous n'allez pas accuser Jennifer de meurtre?

Comme le jeune homme se faisait menaçant, Scott Marlow le prit par l'épaule.

– Tenez-vous tranquille, monsieur Garret, ordonna-t-il.

Furieux, l'étudiant alla de nouveau se placer près de la porte d'entrée.

– Quand vous avez appris que Cecilia était
enceinte, mademoiselle Storey, exposa Higgins,
une affreuse pensée vous est venue à l'esprit. Et si
elle avait abusé de John Garret, si elle s'était
servie de lui comme d'un objet, s'il était le père de
l'enfant contre son gré? Si Cecilia a voulu vous
éprouver de la manière la plus atroce, elle a
abondé dans ce sens-là. Cette révélation a déclenché en vous l'envie de tuer.

– C'est faux, inspecteur, complètement faux...

– Pourtant, mademoiselle, un témoignage vous
accuse. Vous prétendez avoir quitté la chambre de
Cecilia avec les autres invités, peu après trois
heures du matin. Mais ensuite, vous êtes revenue.
Vous êtes montée chez Cecilia, vous lui avez
annoncé votre intention d'épouser John Garret,
elle s'est moquée de vous en affirmant qu'il était
son amant et vous l'avez assassinée. Puis vous
vous êtes enfuie en courant, en direction de
Queen's College.

Les lèvres de Jennifer Storey tremblaient.

– Qui... qui m'a vue?

Higgins consulta son carnet.

– Le comte Herbert. Il a identifié vos vêtements : « un vieux pull troué et un pantalon noir
pas très propre », selon sa déclaration.

– Herbert... c'est ignoble! Comment ose-t-il?

L'ex-inspecteur-chef s'adressa au jeune aristocrate.

– Confirmez-vous vos dires, monsieur le
comte?

Herbert von Wigelstein baissa la tête, évitant le
regard de Jennifer Storey.

– Je suis désolée, Jennifer... C'est bien vous que
j'ai vue.

– Vous allez retirer ça, menaça John Garret, ou
je vous fracasse la tête! De toute façon, ça ne
prouve rien! La femme que vous avez vue courait
vers Queen's College, pas vers St. John!

– Excellente observation, nota Higgins, mais

cette fuite traduisait bien le comportement d'un assassin venant d'accomplir son forfait. N'êtes-vous pas partie la première, à l'issue de la *party*, mademoiselle Storey?

— Je ne sais plus, inspecteur... il était si tard.

Scott Marlow sentit sa fièvre remonter. Il était un peu contrit, s'apercevant que son hypothèse selon laquelle Jennifer Storey aurait été la maîtresse de Herbert von Wigelstein n'avait aucune valeur. Il devenait de plus en plus évident que la jeune mathématicienne était coupable d'un acte abominable que rien ne pouvait excuser. C'était elle, et non le comte Herbert, qui avait déposé dans la chambre de Cecilia un perroquet empaillé, répondant à une obsession qui lui avait permis de se faire ouvrir la porte mais qui l'avait trahie.

— Il faut ajouter, reprit Higgins, le curieux épisode auquel vous avez été mêlée après la *party*, mademoiselle Storey, d'après vos propres indications. Vous avez bien été suivie par un homme qui a tenté de vous agresser?

— C'est exact, inspecteur.

— S'il a bien prononcé les paroles que vous avez entendues, à savoir « sale garce », il ne pouvait s'agir que du vieux Duke. Le fait que vous lui ayez échappé facilement me conforte dans cette idée. Il n'avait ni assez de vigueur ni assez de rapidité pour vous rattraper.

— En admettant que vous ayez raison, dit John Garret, très nerveux, que cherchez-vous à démontrer?

— Rien encore. Je rappelle des faits. Duke a suivi Jennifer pour l'agresser. C'est Jennifer qui a découvert son cadavre.

La jeune mathématicienne s'empourpra.

— Vous... vous m'accusez aussi d'avoir assassiné Duke?

CHAPITRE 23

Higgins ne répondit pas. Au grand étonnement de Scott Marlow, il lâchait prise une nouvelle fois, alors qu'il semblait proche du but. L'ex-inspecteur-chef ne semblait avoir acquis aucune certitude sur l'identité de l'assassin. L'angoisse serra la gorge du superintendant. Et si cette confrontation débouchait sur un échec?

— Sir Caius, indiqua l'ex-inspecteur-chef, est resté bien silencieux jusqu'à présent.

— Je n'ai rien de particulier à déclarer, dit sèchement le Maître de Cambridge.

— Vous êtes trop modeste, Sir. Vous avez forcément un œil sur tout, à Cambridge. Rien de ce qui s'y passe ne devrait vous échapper.

La chevelure argentée toujours aussi superbe, l'élégance imposante, Sir Caius Gateway eut un sourire vaguement méprisant.

— Ne me faites pas trop d'honneur, inspecteur. Mon nom a été mêlé à plusieurs incidents qui ont marqué cette enquête. Ce fut extrêmement désagréable. Puissiez-vous identifier au plus vite l'assassin que vous recherchez.

— Telle est mon intention, Sir. C'est pourquoi votre aide m'est encore nécessaire pour éclaircir quelques détails obscurs. Ne revenons pas sur cette fausse ordonnance...

— Evitons-le, en effet! Ce serait malséant. Ma réputation a été suffisamment compromise!

— Soyez sans crainte, Sir. Sur ce point, vous êtes lavé de tout soupçon. En ce qui concerne l'épingle de cravate, reconnaissez que ma tâche fut plus difficile.

Le Maître de Cambridge se haussa du col.

— Vous m'avez également innocenté de manière définitive!

— Il serait mal venu de prétendre le contraire, Sir. Il y a encore ce témoignage gênant qui vous accusait de vous être déguisé pour pénétrer dans St. John's College, après la *party*.

— Olivia Parker a reconnu publiquement qu'elle avait imaginé une fable invraisemblable. Ne perdons plus de temps avec de tels racontars, inspecteur.

— Vous avez raison, Sir. Tous ces éléments-là ne vous mettent nullement en cause, mais...

Higgins semblait intéressé.

— Qu'y a-t-il, inspecteur? Parlez!

— Un autre détail insolite... ne posséderiez-vous pas une collection d'animaux empaillés? A ce qu'on m'en a dit, vous n'en êtes pas particulièrement fier, en raison de la médiocrité des pièces qui la composent.

— Une collection d'animaux empaillés, bien sûr que non... à moins que... vous voulez parler de ces chouettes, faucons et autres piverts qui ont été offerts à Cambridge par la Couronne, voilà une vingtaine d'années?

— C'est probablement cela.

— Je les avais oubliés depuis longtemps.

— Où se trouvent-ils actuellement?

— Eh bien... vous ne me croirez pas! Dans mon bureau, cachés derrière une encyclopédie en vingt volumes! J'ai eu ces misérables dépouilles en horreur depuis le premier instant où je les ai vues. Mais j'y pense! Il y avait un perroquet parmi elles! Ce serait ce perroquet, qui...

— Eh oui, Sir, ce perroquet qui se trouvait sur

les lieux du crime. Je suppose que l'assassin aura
entendu parler de votre collection.

— Je n'en ai jamais fait mystère... J'ai dû en
parler lors d'une réception officielle. Cette fois,
c'est clair! L'assassin s'est introduit chez moi, a
dérobé le perroquet empaillé et l'a déposé dans la
chambre de Cecilia Ambroswell.

— Voilà qui est parfaitement clair, Sir. Ce qui
l'est moins, malheureusement, c'est la présence de
vos empreintes sur l'arme du crime, la rame
brisée. La rame, alors qu'elle était seulement
fissurée, c'est vous qui l'avez remise à Duke, une
semaine environ avant le crime. D'après lui, elle
appartenait à un équipage vainqueur d'Oxford et
était considérée comme un fétiche. Pourquoi avoir
agi ainsi?

Le Maître de Cambridge ne perdit pas son
sang-froid.

— C'était le plus beau cadeau que je pouvais lui
faire. C'est pourquoi mes empreintes y figurent.
Duke devait tenir à cette rame comme à la
prunelle de ses yeux... Je suis persuadé que la voir
brisée en deux lui a causé plus de peine que le
crime lui-même. Je suis étonné qu'il ne vous en ait
pas parlé et qu'il ne m'ait pas complètement
disculpé.

Les notes qu'avaient prises Higgins lors de son
entretien avec Duke recoupaient les déclarations
de Sir Caius.

— Il y a un petit mensonge que vous auriez dû
éviter, Sir... Pourquoi avoir prétendu que vous
n'aviez guère de goût pour la chasse?

— Mais ce n'est pas un mensonge! Je n'aime pas
cette activité barbare!

Herbert von Wigelstein considéra le Maître de
Cambridge avec un regard lourd de reproches.

— Je ne comprends pas, Sir Caius. Vous m'affirmiez pourtant...

— J'étais... obligé, avoua, piteux, Sir Caius
Gateway.

— Parce que Sir Caius avait besoin de l'appui de la famille von Wigelstein et qu'il se comportait de manière à vous faire plaisir, expliqua Higgins. Le Maître de Cambridge aime à jouir de la considération des familles les plus huppées. Aussi se sent-il obligé d'accepter certaines concessions et d'oublier ses goûts personnels, comme l'a remarqué mon ami Petty. Cela implique quelques petits mensonges...

Sir Caius n'osait plus regarder en face le comte Herbert.

— Quoi qu'il en soit, indiqua Higgins, Sir Caius sait manier les armes à feu. A supposer que Duke soit devenu pour lui un personnage gênant...

— Gênant, Duke? s'interrogea Sir Caius. Mais pourquoi donc? Qu'est-ce que cela signifie?

— Supposez, Sir, que Duke vous ait vu manier cette rame dans des circonstances que l'on pourrait qualifier de tragiques, voire de criminelles. N'aurait-il pu vous faire chanter, ne vous aurait-il pas menacé de vous dénoncer au Yard comme... criminel?

— Vous perdez la tête, inspecteur! De quelle atrocité osez-vous m'accuser sans la moindre preuve?

— C'est bien le problème, Sir... Nous sommes ici pour en trouver une. Même si vous êtes au centre d'un faisceau de présomptions, vous n'êtes pas le seul dans ce cas. John Garret est concerné, lui aussi.

Le *scout* se raidit. Dos calé contre la porte, bras croisés, l'étudiant au nez pointu et au visage parsemé de taches de rousseur défiait l'ex-inspecteur-chef, attendant ses arguments.

Higgins entama une déambulation sur un rythme lent et régulier, non sans avoir consulté du coin de l'œil la photographie de Cecilia Ambroswell.

— D'après mon ami Petty, monsieur Garret, vous êtes un ambitieux. Ce qui est légitime, au demeurant, pour un jeune homme travailleur, intelligent, rêvant de devenir un grand biologiste. Vous étiez décidé à prendre une revanche sur une enfance triste et difficile, à sortir de la misère. Sir Caius a insisté sur votre puissance de concentration. Vous êtes devenu l'étudiant modèle de Cambridge. Modèle... pas tout à fait. Le comte Herbert a mentionné l'une de vos bagarres avec un condisciple qui vous avait critiqué. Cela traduit un caractère plutôt violent.

— Il n'est pas mauvais de corriger les imbéciles de temps à autre, inspecteur. Si chacun s'en donnait la peine, ils auraient moins souvent la parole et feraient moins de dégâts en ce monde.

— Incident regrettable, objecta Higgins, qui vous aurait valu l'exclusion de Cambridge si vous n'aviez pas été protégé par Cecilia Ambroswell.

— Si l'on veut, admit John Garret, bougon.

— Elle vous protégeait, mais vous aviez à payer le prix de cette protection. Elle rendait votre existence quotidienne très pénible. Elle vous a humilié à plusieurs reprises. Jennifer Storey pense même que Cecilia exerçait sur vous une sorte de vengeance.

— Pure invention, affirma John Garret. J'étais son *scout* et je remplissais les devoirs de ma médiocre charge. Rien de plus normal.

— Cecilia savait vous récompenser de votre obéissance en vous offrant, volume après volume, une bibliothèque spécialisée de très grande valeur. Ce qui vous gênait, dans votre position, était le mépris dont vous gratifiaient certains proches de Cecilia comme Olivia Parker.

— L'opinion d'une vieille fille prétentieuse ne m'intéresse pas.

— Petit insolent! réagit la bibliothécaire de Trinity College. Vous n'êtes bon qu'à rester *scout!* Vous êtes tellement servile que vous n'aurez aucune peine à vous replacer!

— Vous reconnaissez, mademoiselle Parker,

intervint Higgins, qu'il ne s'est produit aucune altercation entre Cecilia Ambroswell et John Garret?

— Hélas, oui! Croyez bien que si j'avais le moindre fait à reprocher à ce médiocre jeune homme, je vous l'aurais signalé.

— Et vous, mademoiselle Siwell, êtes-vous certaine que John Garret n'éprouvait aucun ressentiment à l'égard de Cecilia Ambroswell?

— Je suis persuadée qu'il dédaignait le comportement de Cecilia, qu'il agissait comme si elle n'existait pas. Il était prêt à tout pour réussir dans ses études. Seul comptait son objectif.

— Réussite qui, si j'ai bien interprété les faits, reposait en grande partie sur un précieux carnet de notes, dit Higgins. Un carnet où John Garret notait d'indispensables formules mnémotechniques qui, pour tout étudiant avancé et sérieux, auraient eu une valeur inestimable?

— En effet, répondit l'étudiant, fronçant les sourcils.

— Perdre ce carnet aurait été pour vous la pire des catastrophes, comme vous l'avez déclaré, monsieur Garret. Pendant la *party*, vous avez eu un entretien avec Cecilia Ambroswell, dans sa chambre. Elle vous a reproché votre attitude agressive. Vous avez oublié votre fameux carnet que vous aviez posé, par mégarde, sur le bonheur-du-jour. C'est bien Jennifer Storey qui vous avait contraint à le montrer, en vous interrogeant sur votre méthode de travail et sur la manière dont vous preniez des notes?

— Moi et les autres, dit la mathématicienne. Nous étions intéressés par la technique de John, après son brillant exposé qui avait occupé une bonne partie de la soirée.

— La *party*, soupira Higgins, il faut revenir à cette *party*... Là se trouve la clé. A quelle heure s'est-elle terminée? Vers 3 heures du matin, selon l'ensemble des témoignages. Qui s'en est allé le premier? Impossible à savoir de manière formelle. En quoi cette réception était-elle exceptionnelle? Par la présence de John Garret, précisément. Un simple *scout* introduit dans le grand monde, devenant membre d'un cercle très fermé. Vous avez commencé par me mentir, monsieur Garret, en affirmant que la *party* s'était déroulée de la manière la plus banale. Vous vouliez donc éviter de parler de votre comportement si particulier, que certains ont considéré comme un triomphe et d'autres comme une désastreuse faute de goût. Vous étiez ivre, ce soir-là, ivre d'alcool et de puissance. Votre victoire vous a effrayé. Vous vous êtes demandé si vous n'étiez pas allé trop loin, dans le feu de l'exaltation. Vous, le fils d'ouvrier, teniez la dragée haute à des membres de la bonne société. Et vous avez eu peur de me le révéler dès l'abord, semblant considérer votre succès comme une sorte de méfait.

— Je me suis comporté tel un imbécile, reconnut John Garret. Je n'avais pas à vous dissimuler mon attitude. Je ne la regrette pas. Je ne crois qu'au mérite personnel et au travail. Je leur prouverai qu'on peut réussir sans fortune et sans famille.

— Henrietta Siwell, rappela Higgins, pense que vous irez loin. Elle ne vous voit pas seulement ambitieux, mais aussi calculateur. Même Olivia Parker, qui vous a jugé ridicule et déplacé, est obligée d'avouer que vous vous êtes montré brillant ce soir-là. Seul le comte Herbert a émis une opinion totalement négative sur votre prestation.

— Normal, de la part d'un cerveau étriqué.

La réplique cinglante de John Garret fit sortir le comte de sa torpeur.

— Si vous n'étiez pas un roturier, mon pauvre, déclara-t-il avec un suprême dédain, je vous aurais provoqué en duel. Etant donné votre condition, je ne puis vous opposer que mon mépris.

Scott Marlow, que le ton du comte irritait de plus en plus, mit les poings sur les hanches et le dévisagea avec l'œil impitoyable que confère le sentiment d'incarner la loi et l'ordre. Cette attitude martiale calma aussitôt l'aristocrate.

— Le seul à ne pas croire à un travail acharné de votre part, monsieur Garret, indiqua Higgins, c'était le vieux Duke. Pour lui, vous aviez même une tête d'assassin.

— Si vous étayez votre raisonnement de telles appréciations, se rebella l'étudiant, vous ne devez pas souvent déceler la vérité!

— C'est selon, répondit Higgins, souriant. Duke était un homme simple. Il voyait Cecilia vous martyriser. Pour lui, un homme normal ne pouvait réagir que par la haine. Une haine qui, en s'amplifiant chaque jour, conduisait fatalement au désir de tuer. « Aucun homme, a-t-il dit, ne résiste longtemps à un régime comme celui-là. Ou il se suicide, ou il tue. » Or, vous ne vous êtes pas suicidé. Peut-être le jugement de Duke vous gêne-t-il, monsieur Garret?

— Non... non, pas du tout, dit l'étudiant d'une voix soudain mal assurée, se rappelant l'incident qui avait laissé croire à Higgins qu'il espionnait Duke et les deux policiers.

John Garret attendit que l'homme du Yard révèle son comportement peu flatteur concernant le trafic d'alcool frelaté dans lequel il avait eu Duke pour complice. Mais Higgins ne s'attarda pas sur ce détail.

— Jennifer Storey, précisa l'ex-inspecteur-chef, vous a involontairement chargé en insistant à plusieurs reprises sur le fait que Cecilia Ambroswell vous traitait comme un chien. Elle ne supportait pas les humiliations infligées à l'homme qu'elle aime. Quant à vous, monsieur Garret, vous avez protégé Jennifer Storey en tentant de faire disparaître un indice. De plus, c'est vous qui avez découvert le cadavre de Cecilia. Ne pourrait-on supposer que vous avez eu le temps d'organiser une mise en scène où intervenaient un perroquet

empaillé et les sous-vêtements coupés en morceaux? De là à imaginer que vous et Jennifer
Storey avez conjugué vos efforts pour assassiner
celle que vous détestiez et qui faisait obstacle à
votre union...

John Garret serra les poings, jetant un regard
haineux à Higgins.

— Non, John! cria Jennifer Storey, se précipi-
tant sur l'étudiant.

CHAPITRE 24

— Ce qui me gêne dans cette accusation, souligna Higgins, continuant à déambuler, c'est le manque de rigueur de John Garret. Sa manière d'agir pour se débarrasser du traité sur les perroquets et son comportement pendant cette confrontation portent la marque d'un caractère entier, emporté, inapte à la dissimulation. L'assassin n'a pas fait preuve d'une telle naïveté. Et puis, il y a Cecilia... Nous nous sommes mépris sur ses intentions. Ce n'était pas un pari stupide qu'elle avait lancé avec ses amies pour s'amuser de son *scout* et le tourner en ridicule. C'était même l'inverse. Elle avait perçu l'élan qui poussait John Garret vers Jennifer Storey. Mais elle savait qu'il n'oserait jamais déclarer sa flamme. C'est pourquoi elle a pensé à ce jeu d'apparence cruelle qui, espérait-elle, permettrait à Jennifer, aussi renfermée en profondeur que John Garret, de découvrir ses véritables sentiments à l'égard du jeune homme. Elle ne s'était pas trompée. Elle a agi dans l'intérêt de John Garret, comme elle l'a d'ailleurs confié à Olivia Parker... qui ne l'a pas crue.

Scott Marlow se sentait désemparé. Higgins avait examiné le cas de chacun des suspects et n'avait abouti à aucun résultat. L'ex-inspecteur-chef avait jeté un certain nombre de lignes pourvues d'appâts, mais aucune d'entre elles n'était revenue porteuse d'une proie.

— Nous avons négligé l'arme du crime, estima Higgins, contemplant quelques instants, l'admirable visage de Cecilia Ambroswell. Une rame brisée... une rame possédant une valeur sentimentale et historique qui fut confiée, quasiment intacte, par Sir Caius au vieux Duke. C'est probablement dans l'atelier de ce dernier que la rame a été brisée en deux parties. Elle était fissurée et il devait tenter de la réparer. Duke prétendait qu'il n'en avait pas eu le temps car on lui avait volé le précieux objet. Le voleur et l'assassin sont une seule et même personne. Il était facile de pénétrer dans l'atelier de Duke. Il ne le fermait jamais, disait-il. Or, le superintendant et moi-même avons trouvé la porte de l'atelier close par un verrou. Depuis la venue du Yard à Cambridge, il se méfiait. Soit parce qu'il connaissait l'assassin, soit parce qu'il était l'assassin...

Les paroles de Higgins jetèrent un trouble dans l'assemblée.

— S'il était bien l'assassin, reprit l'ex-inspecteur-chef, la présence de la partie manquante de la rame s'expliquerait de la manière la plus simple. Duke avait cassé la rame en deux. Il s'est servi d'un des morceaux comme arme et a caché l'autre dans son atelier. Voyant approcher la police, il a tenté de se barricader.

Scott Marlow fulminait. Higgins avait donc changé d'avis, lui qui prétendait être certain que ce n'était pas Duke qui avait déposé cette rame brisée dans l'atelier! C'était à n'y rien comprendre.

— Qui était Duke? interrogea Higgins. Un homme à tout faire que protégeait Sir Caius et qui avait trouvé refuge à Cambridge. Quand Sir Caius m'a parlé de son honnêteté scrupuleuse, il a commis un autre de ses petits mensonges diplomatiques dont il est coutumier. Qu'il fût un artisan compétent, nul ne peut le contester. Mais Duke a été fiché voilà plus de vingt ans pour des agressions contre des jeunes femmes. Vous ne pouviez pas l'ignorer, Sir Caius.

Le Maître de Cambridge fit face.

— Je ne l'ignorais pas, inspecteur. Mais je ne m'accorde pas le droit de condamner définitivement un homme à cause de ses fautes passées. Duke avait promis de s'amender. A Cambridge, sa conduite fut irréprochable.

— Mon ami Petty m'a pourtant confié que Duke s'était rendu coupable de quelques faiblesses sans gravité avec des étudiantes trop aguicheuses et que vous aviez jeté un voile pudique sur ces affaires.

Il ne s'était rien produit d'irréparable, inspecteur. De plus, Duke avait été provoqué. Il était de mon devoir de le mettre hors de cause.

— Il n'en reste pas moins, ajouta Higgins, que les mauvais instincts de Duke n'avaient pas disparu. Ils sommeillaient. Oublions les passades pour nous fixer sur un seul point : Duke et Cecilia Ambroswell, que tout séparait, ont-ils été en contact, ne fût-ce qu'une seule fois? C'est Henrietta Siwell qui m'a procuré une réponse que Duke lui-même a confirmée. Cecilia n'avait aucun goût pour la navigation. Un caprice l'a néanmoins poussée à vouloir utiliser une barque. Elle l'a demandée à Duke qui a commencé par refuser. Il a dû accepter sous la menace, au terme d'une violente altercation dont Henrietta fut, par hasard, le témoin caché. Duke a été humilié par Cecilia. Il ne lui a pas pardonné cette défaite concédée sur son propre terrain. Cecilia est morte assassinée d'un coup de rame... mais Duke a été tué au milieu de la nuit, à une heure où tout le monde dormait. Personne n'a pu fournir un alibi sérieux. Si Duke avait été l'assassin de Cecilia, l'identifier n'aurait pas été une tâche insurmontable. Ce vieil homme n'était pas assez retors pour organiser un crime parfait. C'était un être simple, je l'ai déjà dit. Il ne mentait pas en affirmant qu'il

savait beaucoup de choses sur bien des gens.
Jennifer Storey l'a accusé à tort d'être un fabulateur. Si Duke est mort, c'est parce qu'il connaissait l'assassin.

— Pourquoi ne m'aurait-il pas confié son nom?
s'étonna Sir Caius.

Les regards convergèrent vers le Maître de
Cambridge. Un épais silence pesa sur l'assemblée.

— Mais... qu'y a-t-il? s'inquiéta Sir Caius. Pourquoi m'observez-vous ainsi?

— Oh non! geignit Olivia Parker que Jennifer
Storey tenta de réconforter.

— Qui aurait pu penser... soupira le comte
Herbert, désolé.

— C'est abominable, constata Henrietta Siwell.

Sir Caius tournait la tête dans tous les sens,
affolé.

— Que voulez-vous dire? Qu'est-ce que cela
signifie?

— S'il ne s'est pas confié à vous, avança Higgins, c'est précisément parce que vous étiez l'assassin. Lorsque vous avez compris qu'il vous avait
surpris, la nuit du meurtre, il ne vous restait plus
qu'à vous débarrasser de lui. Ce fut un jeu
d'enfant, pour vous, de voler deux armes de
collection au Fitzwilliam Museum. Sous un prétexte quelconque, vous lui avez fixé rendez-vous
au pont des Soupirs et vous l'avez tué. Ensuite,
vous avez de nouveau organisé une mise en scène,
comme dans la chambre de Cecilia. Cette fois, elle
était destinée à faire croire à l'existence de deux
meurtriers.

Le Maître de Cambridge dévisagea un à un les
participants à la confrontation. Il ne rencontra
que des visages fermés, voire hostiles.

— Votre attitude est monstrueuse! s'enflamma-
t-il. Je n'avais aucune raison de tuer Cecilia
Ambroswell. Vous autres, au contraire... non, je
n'ai pas le droit de parler ainsi... je n'ai pas le

droit d'accuser sans preuve et je ne sais rien, absolument rien, alors que j'aurais dû pressentir les haines qui ont mené à cet assassinat et les extirper de Cambridge. J'ai été imprévoyant et j'ai manqué de lucidité. Voilà mes crimes, inspecteur.

Sir Caius avait brutalement vieilli de plusieurs années.

Scott Marlow, de nouveau accablé par la fièvre, sentait ses jambes et son autorité s'amollir. Il hésitait sur la conduite à tenir. Pourquoi Higgins ne lançait-il pas une accusation formelle ?

— Cecilia Ambroswell, dit l'ex-inspecteur-chef, admirant la photographie en couleurs de la jeune femme. Cecilia... elle, une victime... la vie est parfois d'une cruauté incompréhensible. Elle lui avait tout offert, elle lui a tout repris, sans lui donner la possibilité de jouir vraiment de ses talents. Mais ce n'est pas vraiment la vie qui est coupable... c'est la nature humaine, avec ses ténèbres, son goût de la destruction, sa haine instinctive du génie.

Scott Marlow détestait les discours philosophiques de Higgins qui, de son point de vue, n'avaient aucun sens. En général, ils ne lui servaient qu'à masquer ses incertitudes. Il fallait espérer que celui-ci, aussi médiocre que les autres, ne préludât point à un aveu d'échec.

— Inspecteur, demanda le Maître de Cambridge d'une voix tremblante, maintenez-vous vos accusations contre moi ?

— Ah, Sir Caius ! Vous paraissez aussi coupable et aussi innocent que les participants à cette *party* tragique. Mais vous êtes le premier qui admettez vos torts. Vous auriez dû mieux connaître ces jeunes gens, en effet, mieux discerner leurs passions et leurs véritables aspirations. Et surtout mieux apprécier la véritable nature de Cecilia Ambroswell sans entrer dans son jeu d'illusionniste. Mais comment vous le reprocher ? Cambridge est un monde magique, immense dans sa petitesse, si chargé de passé et de souvenirs qu'il en devient parfois impénétrable. Personne ne peut être certain d'en avoir percé tous les mystères. Cecilia a appris Cambridge plus vite que n'importe qui, mais elle a été inconsciente du danger qui la guettait.

Chacun était suspendu aux lèvres de Higgins. Le ton de l'homme du Yard était devenu plus grave, comme s'il approchait du dénouement et de l'identification du coupable.

– Quel fut le déroulement exact du crime? interrogea Higgins, continuant à dialoguer avec le double de Cecilia Ambroswell. L'assassin, peu après trois heures du matin, a frappé à la porte de Cecilia Ambroswell sous prétexte de lui offrir un cadeau inattendu : un perroquet empaillé. La jeune femme, intriguée, a ouvert. Pendant que Cecilia s'amusait de l'étrange présent, l'assassin, muni d'un morceau de rame, a trouvé un motif quelconque pour l'entraîner dans sa chambre. Là, il a frappé. Puis il a peaufiné la mise en scène en glissant sous le lit des morceaux de lingerie découpés et en cachant dans le bonheur-du-jour une fausse épingle de cravate. L'assassin a quitté St. John's College sans être vu... du moins le croyait-il. Car il y avait un témoin : le vieux Duke. Pour le compromettre, une stratégie qui aurait pu se révéler efficace : dissimuler chez lui la partie manquante de la rame. Lors de ma première visite dans l'atelier de Duke, j'avais examiné la majorité des recoins et des cachettes possibles, dont une en particulier, qui était vide. Quand j'y suis retourné, il y avait cet indice accablant. L'assassin n'avait rien déplacé, agissant avec une dextérité remarquable. Mais ces précautions devaient se révéler très insuffisantes, car Duke voulait monnayer son silence. L'assassin n'était pas décidé à céder au chantage. Il n'avait pas d'autre solution que d'exterminer ce témoin si gênant en tentant, une nouvelle fois, de brouiller les pistes. Voici, je pense, les grandes lignes du drame. Elles ne nous fournissent malheureusement aucun détail susceptible d'identifier le coupable. Nous connaissons l'essentiel du comment, mais nous ignorons encore le pourquoi qui nous offrirait la clé de l'énigme.

La tension était à son comble. Chacun sentait, à présent, que Higgins avançait sur un terrain sûr et se préparait à démonter, avec une précision d'horloger, le mécanisme du crime.

Seul Scott Marlow ne retint pas son souffle : il fut victime d'une série d'éternuements. Higgins, qui ne quittait pas des yeux Cecilia Ambroswell, attendit la fin de cette petite tempête pour reprendre la parole.

— J'ai longtemps erré, reconnut-il. J'ai cru à un crime collectif, aux agissements d'un couple, à des complicités... ces hypothèses m'ont obscurci l'esprit et fait perdre du temps. Il suffisait pourtant de s'en tenir aux déclarations de l'assassin qui s'est trahi lui-même sur un point, sur un seul point... Mes soupçons éveillés, la certitude n'a pas tardé à venir. Il a encore fallu déceler quelques mensonges pour la conforter définitivement. Dieu, que j'ai été stupide! Le meurtre a été commis à Cambridge, et pas ailleurs. C'était cela, le fait capital, sur lequel il était indispensable de s'appuyer pour découvrir la vérité. L'évidence aveuglante! Cette fameuse évidence qui prend au piège les enquêteurs les plus chevronnés.

L'explication avancée par Higgins n'illumina pas l'esprit grippé de Scott Marlow, incapable de choisir un coupable, quoique sa préférence allât toujours vers le comte Herbert.

— Comme vous avez dû être déçue, dit doucement Higgins, s'adressant à l'image souriante de Cecilia Ambroswell. Un être en qui vous aviez confiance, que vous aimiez, que vous aidiez... un être d'une cruauté inimaginable qui vous a remer-

ciée de votre générosité en vous donnant la mort.
Vous n'avez même pas eu l'idée de vous défendre
lorsque, dans le regard de l'assassin, vous avez lu
votre horrible destin. Soyez en paix, mademoiselle
Ambroswell... Ce crime ne restera pas impuni.

Un frisson parcourut l'assistance. Scott Marlow
avait retrouvé l'optimisme du policier persuadé de
mettre bientôt fin aux agissements d'un individu
nuisible et de faire triompher la justice sur le
mal.

Higgins, mains jointes dans le dos, s'écarta de
la grande photographie et marcha vers la fenêtre.

– Par respect pour la mémoire de Cecilia
Ambroswell, annonça l'ex-inspecteur-chef, je demande à l'assassin d'avouer immédiatement son
crime. Le sang-froid dont il a fait montre, jusqu'à
présent, est inhumain. Je veux croire qu'il ne
repose que sur une exceptionnelle maîtrise nerveuse et que cet être n'est pas totalement
dépourvu de sensibilité. L'heure est venue d'ôter
le masque et d'exprimer des remords, même s'ils
ne servent plus à rien.

Higgins laissa passer une minute. Personne
n'intervint pour se dénoncer.

L'ex-inspecteur-chef se dirigea vers une jeune
fille qui rejetait en arrière ses longs cheveux noirs,
s'arrêta devant elle et la regarda au fond des
yeux.

– Henrietta Siwell, je vous accuse d'avoir assassiné Cecilia Ambroswell et le vieux Duke.

CHAPITRE 25

Henrietta Siwell soutint le regard de Higgins.

— Votre accusation est grotesque, dit-elle d'une voix plus aiguë que d'ordinaire, appuyant sur chaque mot. Vous ne disposez d'aucune preuve et n'en trouverez aucune. J'attends vos excuses.

— Je crains d'éprouver votre patience, dit Higgins, sévère.

— Je suis tout à fait sereine, inspecteur. Je ne comprends pas pourquoi vous prenez plaisir à me torturer de la sorte.

— Vous devriez être moins sarcastique, mademoiselle.

— Sûrement pas. Il n'y a pas de meilleure arme contre l'injustice.

— L'injustice... vous ne manquez pas d'audace! J'aurais préféré ne point étaler votre ignominie devant ceux et celles qui ignorent qui vous êtes en réalité. Vous m'y obligez.

— Ne prenez pas tant de précautions, inspecteur. Vous n'arriverez à rien.

Scott Marlow était sidéré par la force de caractère et la détermination de la jeune fille. Elle avait perdu son romantisme naturel pour adopter un masque dur, presque viril. Sa métamorphose était impressionnante.

— Revenons au carnet de John Garret, proposa Higgins. C'est grâce à lui que j'ai commencé à comprendre. L'entrevue rapide qui eut lieu, pen-

dant la *party*, dans la chambre de Cecilia, entre
elle et John Garret, m'est apparue bien mysté-
rieuse. D'après Olivia Parker, Cecilia désirait parler à son *scout* en particulier et lui reprocher son
comportement. C'est également l'avis du comte
Herbert. Mais il n'y a eu aucun éclat de voix et le
témoignage de Jennifer Storey est tout différent.
D'après elle, Cecilia voulait débattre avec lui d'un
point technique. Exigence bizarre, puisque Cecilia
Ambroswell était une étudiante superficielle qui
avait bénéficié de la protection de Sir Caius pour
obtenir quelques diplômes. Lui-même m'a précisé
qu'elle ne travaillait guère et que les prochains
examens auraient été trop difficiles pour elle.
Lorsque j'ai interrogé John Garret sur le niveau
scientifique de Cecilia, il m'a répondu qu'il n'en
savait trop rien. Elle étudiait la sociologie et
l'histoire, deux disciplines qui lui sont étrangères.
Le comte Herbert n'a pas caché que sa fiancée
bénéficiait de passe-droits et jouissait de privilèges
que lui procuraient sa famille et sa fortune. Mais
la prochaine année universitaire promettait d'être
si difficile qu'un important travail personnel
aurait été indispensable. Aussi le comte était-il
certain que Cecilia aurait abandonné en cours de
route pour annoncer leur mariage. C'était également votre avis, mademoiselle Siwell.

— Personne n'aurait pu prétendre le contraire!
C'était la stricte vérité.

— D'une certaine manière, en effet... Ce fut la
vérité jusqu'au moment où Cecilia elle-même
décida de changer son destin.

— De changer son destin? s'étonna Henrietta
Siwell. Qu'est-ce que cela signifie?

— Vous le savez fort bien, indiqua Higgins,
puisqu'il s'agit du mobile du meurtre.

— Le niveau scientifique de Cecilia? Vous plaisantez?

Higgins se dirigea vers John Garret, immobile
près de la porte.

— Vous m'avez menti, monsieur Garret, à propos des véritables liens vous unissant à Cecilia Ambroswell.

— Pas du tout, inspecteur... Si vous insinuez que j'étais amoureux d'elle, vous vous trompez complètement. La femme que j'aime est Jennifer Storey. Et je suis un homme fidèle et entier.

— Je parlais de relations de travail, monsieur Garret. Votre carnet était chose trop précieuse pour que vous le montriez à n'importe qui. Un étudiant aussi exigeant et scrupuleux que vous aurait-il oublié un document d'une telle valeur? Difficilement crédible.

— J'étais à moitié ivre, inspecteur, je n'avais plus toute ma tête.

— Ce détail ne m'a pas échappé, monsieur Garret, mais il n'explique pas tout. La vérité, c'est que Cecilia Ambroswell n'acceptait pas la défaite. Quitter Cambridge parce qu'elle était incapable de poursuivre des études trop difficiles pour elle, c'était reconnaître son inaptitude, avouer une faiblesse qu'elle ne se serait pas pardonnée. « La fortune n'est pas tout, m'avez-vous déclaré, monsieur Garret. Nous sommes à Cambridge. Ce qui compte, c'est la qualité scientifique de chaque pensionnaire. » Même si ses débuts ici avaient bénéficié de hautes protections, Cecilia avait fini par le comprendre. Dans cette vie, elle voulait tout gagner, remporter toutes les victoires. C'est pourquoi elle a pris la décision de faire des études brillantes et de travailler scientifiquement dans les domaines qui lui étaient chers. Elle avait l'intelligence et la mémoire, mais son principal adversaire devenait le temps. Pour le vaincre, un seul chemin : utiliser une méthode qui lui ferait rattraper les heures perdues. Or, celui qui possédait cette méthode de travail, c'était vous, John Garret. Sur ce terrain, vous êtes imbattable. Cecilia vous a demandé comment vous vous y preniez pour obtenir le maximum d'efficacité. Elle vous a demandé des conseils et vous avez été flatté de les lui donner. Votre fameux carnet devenait un peu le sien. Vous lui avez montré comment prendre des notes, comment les classer, comment se préparer à des examens ardus. Cecilia devenait une véritable scientifique, sous votre houlette. Pendant la *party* elle-même, elle n'a pas résisté au désir de s'entretenir avec vous sur un point de méthode, qu'elle a masqué par une question d'apparence incongrue. Elle ne vous a pas reproché votre conduite qu'elle appréciait, au contraire, au plus haut point. Ce fut sans doute la *party* la plus amusante qu'elle ait organisée. La science y prenait le pas sur des divertissements qui l'ennuyaient. Ce n'était pas la première fois que vous sortiez votre carnet devant Cecilia, puisque vous aviez pris l'habitude de l'étudier ensemble. Vous l'avez probablement posé ici ou là à plusieurs reprises, pendant que vous discutiez. A cette occasion, vous l'avez oublié. Vous faisiez confiance à Cecilia. Une complicité était née entre vous. Je crois même que vous lui aviez juré le silence sur son changement d'orientation. C'était votre secret, à tous deux. Et pour vous, John Garret, le plus extraordinaire des triomphes. Vous, le *scout*, devenu le maître de la belle milliardaire dont vous étiez l'employé! Mais vous n'êtes pas un homme expansif, monsieur Garret. Ce succès-là, vous le gardiez pour vous. Et vous espériez que Cecilia obtiendrait ses diplômes afin de pouvoir proclamer haut et fort que vous étiez l'artisan de sa réussite.

John Garret baissa les yeux, une larme glissant sur sa joue gauche. Il était effondré.

Henrietta Siwell avait un sourire méprisant aux lèvres.

– Bravo, inspecteur! Vous avez mis à nu une des petites cachotteries de Cecilia. Maigre bilan, pour un as de Scotland Yard.

L'invraisemblable métamorphose s'accentuait.

Scott Marlow voyait apparaître une femme impitoyable, aux traits durcis, à la voix piquante. De
la jeune fille romantique, il ne restait plus la
moindre trace.

Indifférent à la remarque acide d'Henrietta
Siwell, Higgins poursuivit sa démonstration.

— Jennifer Storey a levé un autre coin du voile
en me rappelant qu'à Cambridge, la concurrence
entre étudiants était très sévère. Cecilia voulait
obtenir une place : la première. Son ambition était
de réussir ses études de manière éclatante. Elle
porterait forcément ombrage à des rivales qui
n'avaient pas prévu cette nouvelle orientation.
Vous vous êtes montré fort imprudent, monsieur Garret, en faisant des révélations à Olivia
Parker.

— Moi ? protesta l'étudiant. Pas du tout...

— Il a suffi d'une simple phrase, rectifia Higgins, consultant son carnet. Vous lui avez dit : « Je
tente un pari stupide : faire travailler Cecilia ».
Olivia Parker est une confidente... bien bavarde.
Elle s'est empressée d'en parler à ses amies.

— C'est vrai, avoua Jennifer Storey. Je n'y ai
pas prêté la moindre attention...

— Ce ne fut pas le cas d'Henrietta Siwell,
indiqua l'ex-inspecteur-chef. Pour elle, la nouvelle
était catastrophique. Sa carrière de cantatrice pré-
cocement interrompue, elle avait placé ses ambitions dans les études de sociologie et d'histoire.
Les deux disciplines où Cecilia avait décidé de
s'illustrer. Une fois de plus, Henrietta Siwell se
voyait condamnée à n'être que la seconde après
Cecilia. Elle a tenté de l'amuser, de l'entraîner
dans un tourbillon de distractions, de l'éloigner
des études et de Cambridge. Mais elle a vite
compris que rien n'y ferait. Lorsque Cecilia avait
pris une décision, personne ne pouvait l'empêcher
de suivre sa route jusqu'au bout. La jalousie
d'abord, puis la haine, enfin la folie meurtrière...
voilà les étapes qui ont conduit Henrietta Siwell à

anéantir Cecilia, l'être qui était devenu le symbol
de ses échecs. Elle a cru qu'elle lèverait ainsi tou
les obstacles au bonheur qui la fuyait. Cett
rivalité doit remonter à l'adolescence, d'après l
photographie que j'ai examinée dans la chambr
d'Henrietta. Un témoignage du passé dont elle n
pouvait se débarrasser. La petite blonde est Ceci
lia et la petite brune Henrietta, n'est-ce pas? Or
la petite brune, à cette période, était beaucou
plus jolie que la petite blonde, au visage plutô
ingrat et au corps trop maigre. Lorsque les fillet
tes sont devenues des jeunes filles, la beauté d
Cecilia s'est révélée dans toute sa splendeur. E
Henrietta est restée seulement jolie... Cette photo
graphie lui prouvait qu'elle avait autrefois ét
supérieure à Cecilia, qu'elle pourrait la vaincre
nouveau...

L'argument avait touché. Henrietta Siwell laiss
une longue mèche lui couvrir en partie les yeux.

— Cecilia était haïssable, dit-elle d'une voi
sourde. Elle écrasait les autres de son mépris.

— C'est inexact, rectifia Higgins. Elle maltraita
leur vanité pour mieux les aider à devenir eux
mêmes. Vous avez commis une effroyable erreur
mademoiselle Siwell. Ce n'est pas contre vous qu
Cecilia avait décidé de réussir ses études à Cam
bridge, mais contre elle-même. Ses diplômes obte
nus, elle aurait tenté une nouvelle aventure. J
suis persuadé qu'elle aurait continué à vous aider
comme les autres membres de son clan.

— Cecilia est morte, proclama Henrietta Siwel
avec une froide passion qui glaça les participant
à la reconstitution. Cecilia est morte et l'assassin
bien agi.

— Avec une rare cruauté et une intelligenc
diabolique, reconnut Higgins qui fit de nouvea
face à Henrietta Siwell dont le regard, à présent
fuyait.

— Vous avez tenté de brouiller les pistes, conti
nua Higgins, en multipliant les faux indices d

manière à ce que les soupçons s'abattent sur plusieurs coupables possibles et, en définitive, sur personne. Rien ne fut plus simple que de placer un cheveu du comte Herbert sur l'oreiller de Cecilia et de cacher dans le bonheur-du-jour une fausse épingle de cravate qui mettait en cause à la fois le comte et Sir Caius dont vous connaissiez la collection. Au même Sir Caius, vous avez volé le perroquet empaillé qui vous a permis d'attiser la curiosité de Cecilia. Cet oiseau accusait également Jennifer Storey qui possédait un traité sur les perroquets dont vous aviez noté l'existence. Chez le comte, vous avez disposé une photo de Cecilia percée d'une plume pour faire croire à des pratiques de sorcellerie. Dans la même perspective, vous avez soigneusement découpé des sous-vêtements de Cecilia. Pour faire soupçonner Olivia Parker, vous avez caché dans sa chambre des soutiens-gorge marqués aux initiales de la victime et un autre sous-vêtement découpé. Pour vous faire soupçonner vous-même, vous avez dissimulé dans votre chambre une paire de ciseaux. Le goût du découpage de Jennifer Storey devait aussi attirer l'attention sur elle. Vous avez, de plus, rédigé une fausse ordonnance en imitant l'écriture de Sir Caius. Ce ne fut guère difficile pour une personne disposant de votre talent, et capable de recopier vite et bien une partition musicale comme le *Messie* de Haendel, avec une dextérité surprenante. Pour commettre votre crime, vous avez eu l'idée d'utiliser une rame brisée qui orienterait l'enquête vers Duke et Sir Caius, d'autant plus que l'objet porterait leurs empreintes. Bien entendu, vous aviez enfilé des gants quand vous êtes revenue, après la *party*, dans la chambre de Cecilia. Vous aviez avec vous l'arme du crime, le perroquet et les lambeaux de sous-vêtements. Votre amie a dû être suffoquée de vous voir habillée comme Jennifer Storey, d'un vieux pull troué et d'un pantalon noir. C'était une précaution supplémentaire et elle vous a été utile. C'est bien vous, ainsi déguisée, que Herbert von Wigelstein a vue courir vers Queen's College. Même après avoir commis ce crime atroce, vous avez conservé votre sang-froid et pris la direction que la vraie Jennifer aurait prise. A Cecilia Ambroswell, vous avez fait croire à une de vos fameuses plaisanteries de boute-en-train.

— Cecilia était une droguée, inspecteur.

— Comment le savez-vous?

— Il suffisait de regarder son bras gauche. On y décelait des traces de piqûres. Elle me les avait montrées.

Le regard de Higgins devint sévère.

— Un mensonge qui vous déshonore, mademoiselle Siwell, et l'aspect le plus faible de votre montage. Ces piqûres sont très récentes, d'après le rapport d'autopsie, et n'ont pas été faites avec une seringue. Vous avez utilisé l'aiguille du phonographe pour torturer un cadavre.

— Brillante reconstitution, inspecteur, se gaussa Henrietta Siwell, de nouveau diabolique. Elle est trop subjective, malheureusement pour vous, et ne convaincra personne.

Higgins marchait lentement de long en large, très concentré. Les remarques de la jeune femme ne l'atteignaient pas.

— Vous avez commis une erreur en sous-estimant le vieux Duke, mademoiselle. Il n'avait pas perdu son goût pour les femmes et il a suivi, de jour comme de nuit, beaucoup d'étudiantes, tant il était fasciné par leur beauté. Vous ne vous êtes pas comportée comme les autres. Vous l'avez fait parler de son passé. C'est pourquoi vous avez pu me confier qu'il y avait eu des plaintes contre Duke et que Sir Caius les avait étouffées. Vous avez éveillé la curiosité de Duke. Il vous a épiée. Les informations que vous aviez obtenues vous donnaient l'assurance qu'il ferait un excellent suspect de plus, mais vous vous êtes montrée trop arrogante à l'égard d'un individu que vous jugiez méprisable et inoffensif. Vous l'effrayiez peu, mais son instinct lui a fait ressentir que vous pourriez bien être en position de faiblesse à un moment ou à un autre. Sans doute était-il amoureux de vous... vous, une étudiante inaccessible. Mais vous êtes tombée dans ses griffes quand il vous a vue sortir de St. John's College, déguisée en Jennifer Storey. Il rôdait dans les parages. Dans un Cambridge presque désert, il attendait la sortie des invités de la *party*. Il a même importuné la vraie Jennifer. Il vous a suivie jusqu'à votre collège et a remercié sa bonne étoile : enfin, il disposait d'une formidable possibilité de chantage pour obtenir les faveurs d'une femme. Que Cecilia fut morte lui était indifférent. Il la détestait. Mais il avait l'immense privilège de connaître la meurtrière, ce qui allait lui permettre d'abuser d'elle en toute impunité. Il vous a contactée. Dans un premier temps, vous avez fait semblant d'accepter ses propositions honteuses... à condition de pouvoir réfléchir. Vous avez trouvé une idée follement romantique : un rendez-vous d'amoureux sur le pont des Soupirs. Ce qu'ignorait Duke, enivré par l'idée de vous avoir à sa merci, c'est que vous l'accueilleriez d'un coup de pistolet. Le faire taire définitivement était la seule solution. En abandonnant deux armes sur le lieu du crime, vous espériez accréditer l'existence de deux complices. De plus, vous saviez que Jennifer Storey, qui passait chaque matin à cet endroit, de très bonne heure, serait probablement la première à découvrir le cadavre. Un fait de plus pour la rendre suspecte. Un crime parfait... avec tant de coupables possibles que la vérité devenait impossible à déceler.

— Même si vous avez raison, inspecteur, dit Henrietta Siwell, mordante, même si vous avez reconstitué les deux meurtres point par point, vous ne disposez pas du moindre indice concret pour m'accuser de manière formelle.

Higgins, dubitatif, lissa sa moustache poivre e
sel.

— Si, mademoiselle. Grâce à la vanité qui vou
a conduite au meurtre. Il n'y a pas que Duke qu
vous avez estimé quantité négligeable. A vos yeux
John Garret n'était qu'un *scout*, donc une sort
d'esclave. Vous n'avez pas supposé un seul instan
qu'il pourrait vous trahir.

— Me trahir? s'angoissa Henrietta Siwell. Mai
comment?

— Bien involontairement, je vous l'accorde... E
confiant à John Garret l'organisation matériell
de la *party*, Cecilia ignorait qu'elle permettrai
ainsi l'identification de son assassin.

Soudain prise de panique, Henrietta Siwell s
leva. Sa voix devint sifflante.

— Vous dites n'importe quoi, inspecteur! C
prétentieux n'a aucune preuve contre moi!

Scott Marlow, oubliant héroïquement la dou
leur émanant de sa gorge desséchée, s'approcha d
la jeune femme avec l'allure autoritaire qui l
caractérisait. La haine qu'il lut dans des yeux qu
avaient si bien su exprimer la douceur, le confort
dans la pensée que la folie avait envahi le cervea
d'Henrietta Siwell.

— Asseyez-vous, mademoiselle, ordonna-t-il.

— John Garret est un *scout*, expliqua Higgins
un étudiant pauvre. Son obsession, c'est l'achat d
livres spécialisés. Plus il en possède, mieux il peu
travailler jour et nuit et préparer sa future car
rière. C'est pourquoi il acceptait les tâches maté
rielles que lui imposait Cecilia. Miss Ambroswel
l'avait compris. Elle le remerciait en lui offran
des volumes scientifiques coûteux. Mais Joh
grapillait l'argent. Pour cette *party*, il fallait d
l'alcool. Muni d'une somme relativement impor
tante que lui avait confiée Cecilia, il estima regret
table de la dilapider ainsi. Il décida de s'allier
Duke. John Garret, grâce à ses origines modeste
savait parler à des hommes comme lui. Le dialo

gue fut facile. Les bruits parvenus aux oreilles du *scout* s'avérèrent exacts. Duke régnait sur un petit trafic d'alcool frelaté. Du mauvais alcool que John Garret acheta à bas prix, acquérant des livres avec l'argent qui lui restait. Du mauvais alcool qui fut servi à la *party*.

Henrietta Siwell, trompant la vigilance de Scott Marlow, se rua vers la porte de la chambre de Cecilia.

Elle se heurta à John Garret qui la saisit par les poignets et l'immobilisa. Pour la calmer, le superintendant fut contraint de lui passer les menottes.

De son regard dément, Henrietta Siwell ne cessait de fixer Higgins.

— Vous venez de percevoir votre erreur, constata ce dernier. Votre unique et minuscule erreur qui m'a permis de démonter le mécanisme abominable que vous avez mis au point. Quand je vous ai interrogée sur votre comportement à l'issue de la réception, vous avez affirmé que vous aviez regagné votre chambre à King's College. Il était 3 heures du matin, vous n'aviez pas les idées très claires. Mais contrairement aux autres invités, vous n'avez pas aperçu d'ombres suspectes et n'avez rien remarqué d'insolite sur votre passage. « Nous avions beaucoup bu », m'avez-vous déclaré. Les autres, oui, mademoiselle Siwell... pas vous! Ce faux whisky était frelaté. En absorber causait d'abominables migraines. Vous êtes la seule qui n'en ayez pas souffert. Sinon, vous m'en auriez parlé. Vous avez fait semblant de boire au cours de cette soirée... pour garder une totale lucidité. Les autres s'enivraient de paroles et de whisky. Vous, vous restiez froide, déterminée, prête à tuer. Quand Cecilia vous a ouvert sa porte, après la *party*, elle était éméchée et fatiguée. J'espère qu'elle avait l'esprit suffisamment embrumé pour ne pas avoir vu la main qui l'a tuée.

Henrietta Siwell se leva et se campa devant la photographie de Cecilia Ambroswell.

– Sale petite garce, dit-elle. Il faut encore que tu me persécutes... je croyais pourtant t'avoir tuée pour de bon! Tu es partie, moi je reste... et je vais souffrir, souffrir comme une folle, à cause de toi! Jamais je ne te pardonnerai!

CHAPITRE 26

Higgins travaillait d'arrache-pied à la reproduction d'une « Princesse de Galles », rose particulièrement susceptible qui ne supportait pas la moindre intervention chimique et réclamait une attention quasi amoureuse de la part de son jardinier. Pendant que l'ex-inspecteur-chef préparait un terreau d'une exceptionnelle finesse, le siamois Trafalgar sommeillait au pied d'un hêtre pourpre qui revêtait sa robe d'automne.

A Cambridge, c'était la rentrée universitaire. John Garret et Jennifer Storey s'étaient mariés pendant l'été. Sir Caius Gateway avait pris une retraite anticipée. Olivia Parker mettait sur pied une exposition consacrée aux manuscrits enluminés. Les collèges avaient retrouvé leurs étudiants, fiers de porter un uniforme qui manifestait leur appartenance à l'élite de la nation.

Higgins avait rangé dans son cabinet privé, inaccessible à sa gouvernante Mary, le carnet noir rempli de notes consacrées à l'affaire Cecilia Ambroswell. Des archéologues du crime l'étudieraient peut-être un jour. C'était l'une des très rares enquêtes que l'ex-inspecteur-chef avait menées à terme sans pouvoir produire la moindre preuve, tout en ayant la certitude absolue qu'il ne se trompait pas. Jusqu'à la dernière seconde, l'issue de son duel avec Henrietta Siwell avait été incertain. Sans la présence du double de Cecilia, de cette photographie en pied, les nerfs de la criminelle n'auraient pas craqué. Henrietta Siwell avait été confiée aux médecins et à la justice des hommes en laquelle Higgins ne croyait guère.

A présent, l'âme de Cecilia pouvait reposer en paix. C'était l'essentiel. Celle du vieux Duke aussi, à condition qu'il en possédât une. Duke qui s'était vengé sans le savoir grâce à son alcool frelaté.

— Il y a quelqu'un qui vous demande, annonça la voix cinglante de Mary.

Higgins sursauta. Une fois de plus, il ne l'avait pas entendue venir. Sa gouvernante avait la détestable habitude de marcher à pas feutrés pour mieux le surprendre et le déranger dans ses activités.

— Vous savez bien que je ne reçois personne quand je m'occupe de mes roses, soupira l'ex-inspecteur-chef, excédé.

— Celui-là insiste. C'est un comte, ou quelque chose comme ça...

— Noble ou roturier, je ne reçois pas.

— Allez le lui dire vous-même.

Mary s'éloigna. Higgins n'avait plus le choix. Il ôta ses gants de jardin, flatta l'échine de Trafalgar d'une caresse et se dirigea à pas lents vers l'entrée de son domaine, de l'autre côté de la maison. En marchant, il pensa avec nostalgie à Cecilia Ambroswell, l'une des plus belles femmes qu'il ait connues. Cecilia, trop rare, trop différente des autres jeunes gens de son âge pour être comprise de son entourage.

Derrière la barrière en bois blanc, il y avait le comte Herbert von Wigelstein.

— Pardonnez-moi de vous déranger, inspecteur... mais je vous devais cette visite.

— Comment va Olivia Parker?

— Nous avons rompu, inspecteur. Elle tient trop à sa carrière à Cambridge. Moi, j'ai ce coin-là en horreur. Etant presque ruiné, je vais enfin commencer à vivre. Je suis sûrement doué pour le commerce. Abandonner les études sera l'une de mes plus grandes joies.

— Vous êtes-vous remis de la disparition de Cecilia?

— Je ne tiens pas à être hypocrite, inspecteur. Depuis sa mort, j'ai compris que je l'aimais... bien, sans plus. Elle me fascinait, mais elle me faisait peur. Trop de personnalité pour moi, trop supérieure. J'aurais été incapable de devenir son mari. Le seul homme qui aurait pu lui tenir tête, c'était... vous, inspecteur. C'est pourquoi... attendez-moi un instant.

Du coffre de sa voiture, une Daimler rouge vif, le comte Herbert sortit une longue boîte en carton qu'il remit à Higgins par-dessus la barrière.

— C'est la photographie de Cecilia, son double... elle vous revient de droit, inspecteur. Votre domaine est merveilleux. Cecilia y sera heureuse. Adieu.

En regardant s'éloigner la voiture du comte, en tenant le double de Cecilia dans ses bras, Higgins fut certain, en effet, qu'il avait été le seul à percevoir les mille facettes de la jeune femme. Ils auraient été les meilleurs amis du monde, des complices qui se seraient entendus à demi-mot. La seule chose qui les avait empêchés de s'apprécier davantage, c'était la mort.

Un merle sautilla sur la pelouse. Le soleil illumina la vieille demeure. Le siamois Trafalgar se frotta contre les jambes de Higgins. Il avait faim et ses yeux bleus pétillaient de vie.

Achevé d'imprimer en septembre 1992
sur les presses de la Société Nouvelle Firmin-Didot
à Mesnil-sur-l'Estrée (Eure)
Dépôt légal : juin 1991
N° d'imprimeur : 21707 — N° d'éditeur : 8030

Imprimé en France

Ville de Montréal

**Feuillet
de circulation**

À rendre le		
2 0 AVR '9		
2 - 4 JUIN '9		
2 19 JUL '96		
2 - 3 MAR '98		
- 8 AVR '9		
2 - 1 MAI '98		
2 5 MAI '98		
2 22 DEC '98		
2 20 OCT '99		
13 NOV '99		
5/5 , 14 JAN '00		
1 4 SEP. 02		
1 7 OCT. 03		

06.03.375-8 (05-93)